D0309417

Jeannetje van Diependaele

JEANNETJE VAN DIEPENDAELE

marcella baete

EPO

Omslagontwerp: Art & Partners
Omslagillustratie: Otto Dix, *'Paar'*, 1926

Vormgeving: EPO
Druk: drukkerij EPO

Lange Pastoorstraat 25-27
2600 Berchem
Tel: 32 (0)3/239.68.74
Fax: 32 (0)3/218.46.04

ISBN 90 6445 658 5
D 1992/2204/28
NUGI 300

Verspreiding voor Nederland
Uitgeverij De Geus
Postbus 1878
4801 BW Breda
Tel.: 076/22.81.51

Inhoud

Opgedragen aan mijn grootmoeder
Rachel Bauwens

1

De omgekeerde piramide

Terwijl ge u de vingers kreupel typt om *Jeannetje van Diependaele* nog af te krijgen voor uw verhuizing – de allerlaatste zolang ge nog leeft, zweert ge op het hoofd van uw kind – zegt ge als winnaar van de groene trui in de sprint:

'Ik ben ervan af!'

Zelfvoldaan trekt ge de knobbels van uw tenen nog meer in gekromde bulten.

'De meitak staat op mijn romanhuis,' prevelt ge voorzichtig, om geen slapende goden wakker te maken. Maar in uw overmoed zijt ge niet te stuiten. Met handgeklap erbij schreeuwt ge:

'Het is gebakken.'

De verhuizing kan beginnen.

Jeannetje gaat – in een beige flapkaft – de groene wagen in die tien meter lang is en vier meter breed. Op zijn minst.

Ze zit er in een kartonnen doos gewrongen als een frenetieke volbloed. Weken blijft ze in haar papieren stal liggen, platte rust, op een afstand van het paard dat ge zelf zijt. Een werkpaard, misschien wel een muilezel. Bij het uitpakken vindt ge haar terug met een geplooid oor aan haar beige omhulsel en met vouwen door haar titelblad. Ze is gespleten.

Je-anne-tje. Ge weet dat tje-tjes te negeren zijn en gevaarlijk bovendien, dus zegt ge:

'Ze is in twee gespleten.'

A la bonne heure, denkt ge, *salva approbatione!*

Ze zal dus de ene keer zo klein lijken als de pink van Klein Duimpje en de andere keer zo zwaar en lomp als de voet van de reus die alles verplettert. Natuurlijk kwam ze geschonden uit al dat trekken en sleuren, heffen en verzetten. Want alles is wel tien keer van plaats verwisseld; ge weet hoe dat gaat...

Eerst vult ge een kamer stampvol, daarna nog een tweede en dan een derde. Gelukkig hebt ge er deze keer zoveel. De situatie valt niet te overzien, want waar steekt het ondergoed?

'Kijk eens in die doos daar, de onderste.'

'Welke? Er staan hier wel zeven onderste.'

'Die daar, bij de muur.' Ge wijst.

'God, dan moet ik al die zakken ook nog verplaatsen,' wijst hij.

'Doe maar op uw gemak, langzaam gaat ook,' zucht ge.

Hij zucht ook. Uit de nieuwe vloerbedekking probeert hij energieconcentraat op te snuiven. Een onwillekeurige lijmsnuiver.

'Mensen, lieve deugd, wat een gewicht. Daar zit een ton pluimen in, zeker?'

'Het zijn maar weekbladen.'

'Had het erop geschreven!'

'Ge kent mij toch.'

Hij antwoordt door de betonmuren uit hun ijzers te zuchten.

En zo gaat dat maar door tot ge op Jeannetje valt, letterlijk en figuurlijk, en de wereld blijft hangen als een satelliet. Ge negeert haar geplooide oor, ge loert eens om te weten of ze er nog helemaal is.

'Hoe is het?' vraagt ge.

'Slecht,' zegt ze, 'ik ben precies zwanger en ik weet niet meer van wie!'

Met de beige kaft in uw handen en de gelezen bladen aan uw voeten op de grond – want het bureaumeubel is overbezet met gestapelde doosappartementen van een Manhattanwolkenkrabber – knikt ge instemmend. Ze heeft potdorie gelijk.

De vier verhuizers zien u in uw nieuwe hoedanigheid van schrijfster. Ze kunnen hun ogen niet geloven; wel van die verhuis – ze weten na vierenveertig keer sollen met uw inboedel dat ge raar kunt doen – maar niet van dat schrijfgedoe. En nog minder van het bestaan van een zeker Jeannetje die voorbarig de absolutie kreeg.

Niks van, het *ad acta* is niet gelegd. Om te beginnen is het voorwoord een oerwoud van belevenissen die niks met haar te maken hebben. Wel met uzelf, alhoewel dat niet zoveel verschil maakt als puntje bij paaltje komt. En ze komen samen.

De gepensioneerde schrijfmachine staat u bij die bedenkingen tussen de muur en de Engelse boerenkleerkast te belonken met loerogen achter een lakense bril. Was het een gestraft kind, het stikte onder de doorschijnende plastieken zak waarin onderaan de rekening steekt. Achterstallig. Want Jeannetje is niet af, zo min als de verhuis.

Terwijl ge de meubelen probeert te ankeren – ha, ja, hier zal dat beter staan en als gij nu nog vijf centimeter achteruit gaat, kan de zetel er nog naast – sleurt ge Jeannetje mee. Want ze zit uitgeput toe te kijken, moe van het verplicht vasten in haar kaft.

Terwijl gij loopt te steunen en te kriepen – het verschot, denkt ge – dwaalt ze onwennig door de kamers.

'Denkt ge echt dat het hier nu werkelijk definitief beter zal zijn?' vraagt ze.

'Is het niet beter, het is hier toch ruimer,' snauwt ge.

Serpentig om uw uitval stapt ze de werkkamer in, waar de foto's van uw kinderen en kleinkinderen naast elkaar hangen als een file in de Onwelriekende Dreef en ge ziet haar denken: ze kan nu vier grote stappen doen van de deur naar haar werktafel in plaats van twee geishatripkes. Haha.

'Dan heb ik tenminste nog wat beweging,' zegt ge, 'als ik weer in uw problematiek duikel.'

Om de haverklap zit ze in bad, gevuld met in-de-huurprijs-inbegrepen-heet-water en gezalfd door badolieluxe. De parelende druppels op haar borst zijn als de bolletjes suikergoed die ze vroeger in de paaseieren staken om ze te laten rinkelen bij het schudden. Misschien wil ze dat Europees produkt, *huile pour le bain*, *Badeöl*, badolie, 250 ml voor altijd en eeuwig in zich trekken, voor het geval het zou verkeren, sprak Bredero.

'Ik voel me hier toch nog niet thuis,' druipt ze nat en ze neemt uw handdoek uit Spanje, *Paco Camino S. Martin El Viti Palomolinares*, om zich te drogen.

Ge begrijpt dat. Verhuizen is altijd opnieuw afscheid nemen van onbelangrijke zaken die u vertrouwd werden: een scheur in de deur, een spleet tussen de kozijnen, de geur van frituurvet bij de buur...

'Ik sta ervoor en ik moet erdoor,' sprak Kannot, de vriend uit uw jeugdjaren die in uw straat woonde en waarmee ge bleef omgaan tot de dag dat hij aansloot bij de *Hell's Angels* – als achteropzittend lid op de Harley-

Davidson – en ge hem geen goedendag meer mocht zeggen. Hij liet de *driver* dan maar eens naar u toeteren als ze voorbijraasden. Nochtans leerde hij u voor een *life-time*:

'Ik sta ervoor en ik moet erdoor', vlak voor hij met zijn wild kadaver in die moddergracht tuimelde en eruit kwam als een volleerde reumapatiënt uit een duur kuuroord aan de Zwarte Zee.

'Goed, Jeannetje,' zegt ge, 'het kan zijn dat ge nog even moet wennen, maar we moeten verder met uw verhaal; ik zal het herwerken, met oor en al, uw gespletenheid inbegrepen... Weet, dat ik u als een omgekeerde piramide zal presenteren, met de punt π wankel als steun en met het draagvlak van uw verleden naar boven. Het is aan u het evenwicht te zoeken.'

'We zullen zien, zei de blinde', antwoordt ze opstandig en gezwind loopt ze in haar blootje de slaapkamer in, die na twaalf dagen verhuis op zijn Napoleons uitkijkt naar Josephine en ze kruipt tussen Taiwanese lakens. Het kunnen ook Egyptische zijn want er staat een of ander halfslachtig dier op de omslagboord en op de slopen.

Er komt klaarheid in de expeditie. Ge overziet de toestand, met de ogen dicht, tastend naar de slaap die weer eens te laat komt. Er zijn nu twee livings om in te leven, al de postuurkens – breukantiek – staan biscuitachtig te pronken, de gordijnen zijn eindelijk gewassen doorzichtig, er staan twee televisies en ge vraagt u met een slapend hart af wie dat allemaal zal onderhouden.

'Ik,' zegt Jeannetje.

Ge zult het maar geloven. Er staat op uw veld nog groen koren dat wuift als ge in slaap sukkelt.

En dan plots, 's anderendaags, toeval of niet op de dag van de verrijzenis, op Paaszondag, in het salon dat ge ook nog hebt en waar uw vriend naar de Waalse klassieker Luik-Bastenaken-Luik zit te kijken en tegelijkertijd door het raam de achtspanroeiers op de watersportbaan in het oog houdt, valt er een kleine frank, de nieuwe, die van u is en van alle mensen. Hij slaat een gat in uw hoofd, een stortgat. Ge zijt met Jeannetje begonnen bij de geboorte van het Kerstekind, ge hebt haar in de steek moeten laten – verraden bijna – bij zijn dood, op de drempel van de volwassenheid, en net op Pasen herneemt ge de draad van haar geschreven leven.

'Dat is puur coïncidentie,' zegt ge. Maar dat heeft u al zo vaak een loer gedraaid.

'Hij zal er wel weer voor iets tussen zitten,' mijmert ge en ge kijkt naar de wolken die voorbij uw derde-verdiepingraam schuiven als grijze gebobbelde watermatrassen.

Uw vriend scandeert:

'Allez Dirk, allez Wolfke, nog twee seconden erbij, dan zijn het er tweeëndertig', en uw Vlaamse armharen staan recht, zodat ge aan uw nationalistische gevoelens twijfelt.

'Ik rijd eens rond de watersportbaan,' zegt ge, want beneden in de berging hebt ge ook een fiets.

'Wacht eens tien minuten, dan is de koers voorbij en rijd ik mee,' zegt uw vriend op zijn Mark van Lombeeks, want Wolf nadert moederziel alleen de Luikse eindstreep.

Er schort wat aan uw trommelvliezen, want het gaat uw één oor in en uw ander uit. Ge schiet in uw sportschoenen, ge trekt uw kaweeke aan, ge neemt al uw sleutels – nu hebt ge er veel: één voor de buitendeur, één voor de dikke binnendeur, één voor de berging en één voor uw eigen voordeur, het lijkt wel een bos voor een jezuïetenklooster en eigenlijk komt dat hier nu niet te pas – en ge fietst met een vooruitgestoken spitshoofd rond. Als Dirk de Wolf met zijn twee gespierde armen opgeheven naar de Waalse hemel over de finish bolt en zijn kuiten loskrampen, voelt ge de uwe trekken. Want ge hebt al zo lang niet meer op dat ijzeren paard gereden.

De westenwind draait en keert uw gedachten. Ge zijt alleen, of toch bijna. Want het lied van de eenzame fietser spoelt mee met de kabbelingen in het zog van de roeiboten.

'Hoe sterk is de eenzame fietser, taratata', en meer herinnert ge u niet. Maar ge hoort wel de stem van de zanger en ge verwedt er Jeannetje op, dat het die van Wim de Craene is. Die slaagde, waar gij faalde.

'Verrek,' zegt ge en ge duwt nog harder op de trappers, tegen de blaaswind in die vocht uit uw ogen zuigt.

En in een geparkeerde wagen, een Colt met vijf versnellingen, waarin twee verlate verliefden zitten te minnekozen, denkt ge aan hun waarschijnlijke kinderen die niet weten dat vader of moeder aan een ander leven begon, zonder hen.

Ge voelt u niet eens beschaamd en die twee ook niet, zo te zien. Ineens weet ge het. Misschien door het schudden van uw hersenen over de bulten en keien: er blijft dat kind, waar ge zoveel voor over hebt en dat levenslang een kind mag blijven. Omdat het rondloopt met een beschadigde hersenschors gelijk de bast van de bomen, in de tijd dat de Chinezen hongersnood kenden en ze ontmantelden om te overleven. En is uw kind ook geen Aziaat?

Jeannetje krijgt er nog een hoofdstuk bij, over de verlengde minderjarigheid van dat kind. De ganse enscenering rond dat rechtsgebeuren, van uitspraak naar tenuitvoerbaarheidsverklaring – is zo komisch en triest tegelijkertijd, dat ge het moet verwoorden. Moet.

Zoals dat oude gedicht dat ge eens geschreven hebt en dat niemand mooi vond, behalve gijzelf.

Ge zegt het luidop en een jogger kijkt u vreemd aan.

Wat broebelt die daar? denkt hij.

Denkt gij. Ge veegt daar uw trappers aan en ge wielt verder. De zinnen draaien mee.

Langs drukke wegen rijd
ik naar niemandsland,
bij het huis aan de waterkant

waar tijd geen uren tikt,
elk kind dezelfde naam bezit,
waar gebalde vuisten bonken
op muren van eindeloos geduld,

waar morgen niet moet zijn,
omdat gisteren verdween en
vandaag er niet kan komen.

In niemandsland woont mijn kind,
de stomme idioot.

'Idioten,' roept ge tot de roeiers, die denken dat ge hen bespot, want ze zullen toch niet winnen op de Olympische Spelen.

Roepend heelt ge de wonde zoals honing doet met een maagzweer. Ge maakt een bruuske beweging. Ge dondert van de oneffen stoep; uw voorwiel krijgt de daver en valt van schrik plat. Gelukkig zit er een pomp in uw zwarte bagagezak en moeizaam gaat ook, want die luchtblazer is versleten, dat wiel trouwens ook.

Terwijl ge pompt – met pijn in de schouder en in de rug, vermoeid als ge zijt na die verhuisperikelen – schieten de woorden als luchtbellen de band binnen.

'Ik be-gin met de ver-leng-de min-der-ja-rig-heid van mijn kind,' pompt ge, 'na de pre-sen-ta-tie van mijn nieuwe aan-winst' en uw band blaast op.

Bij iedere scheut en stoot komt er klaarheid. Eindelijk. En de ijzeren oude-gevonden-opnieuw-verkochte-politiefiets brengt u terug met de wind en de roeiers en de joggers van achteren en de hoop van voren. Als ge de laatste sleutel gebruikt, komt uw vriend u tegemoet in de hall, want een gang hebt ge nu niet meer.

'Dirk de Wolf heeft nogal gereden,' zegt hij, 'en gij ook zo te zien.'

Want uw neus glimt, niet door de badolie, maar van het transpireren. In uw nieuwe buurt zweten ze niet.

'Oef,' zegt ge.

'Jeannetje reed mee zeker?' vraagt hij.

'Ja,' zegt ge, 'maar ik heb haar meegebracht! Thuis.'

'*A la bonne heure*,' zegt hij. 'Ik heb veel pattatten geschild!'

2

'Write,' zei de computer

Ach, die computerhistorie!

Als dit boek in de handel geraakt, heb ik met die PC kunnen werken. Het ging van sassenbloed, meer nog van *hic jacet lepus.* Met heffen en hijgen en zweten sleurde ik de vier kartonnen dozen naar boven. In de dozen zaten de computeraffaires: ik was toen nog niet aan mijn verhuis toe. Het was geen sinecure. Die computer was ingepakt alsof hij zou ontsnappen of bevriezen. Ge houdt het niet voor mogelijk hoeveel openingen en insteekmogelijkheden er aan zo'n computer zijn. Daardoor alleen al is bewezen dat een mens nooit een machine kan worden: de contacten en verbindingen moeten maar geteld! Mijn geblesseerd *Brotherke* stond te grinniken en te grijnslachen, want ik vond de juiste contacten niet, wist niet waar elke draad precies in paste; ik stond daar als een geslagen straathond. Handleidingen ingekeken. Vier dikke Engelse boeken. Ik vroeg me af, wie zoiets kon schrijven. Een computer, vanzelfsprekend!

Een doolhof van ongekende woordenschat schemerde mij schuin voor de ogen. Wat nu? Ha, de telefoon. Opgebeld met veel vijven en zessen en uitgelegd met veel vijven en zessen. Ik moest het boek *Microsoft Windows Users Guide* raadplegen, achteraan de *Microsoft Windows Guide*, en ik mocht zeker niet vergeten er eerst en vooral al de meegekregen programma's in te steken. Het donderde en bliksemde te St.-Amandsberg, waar ik toen nog woonde. Na veel mislukte pogingen en een aantal uren – hoeveel ontging me in al mijn bedrijvigheid – stak ik het licht aan. Want in het donker ziet men geen steek. Mijn *Brotherke* hoorde ik schudden van het lachen. Ik had hem wel kunnen vermoorden. Het zweet barstte al mijn poriën uit. Mijn handen waren twee vibrerende espebladeren. De snot liep uit mijn neus, maar ik dacht en zei het ook luidop, zodat mijn *Brotherke* het niet zou missen:

'Snotterende paarden lopen het verst!'

Mijn computer begreep het gezegde blijkbaar, want ineens werd hij toegankelijk en pardaf, mijn muis vond de juiste term: *Write*. En *Write* moest ik hebben!

Nog nooit in mijn leven zag ik zoveel schuine woorden als officieel en internationaal aanvaard. Zat ik nog met het opslagprobleem. Daar deed ik nog een paar uren over. Telefoneren was uitgesloten, want het was inmiddels al na middernacht. Ik vroeg hulp aan alle heksen van het duister... en ik kreeg ze. De oude Herakleitos zou ooit gezegd hebben: 'De weg omhoog en de weg omlaag is een en dezelfde.' Van ergens ver weg kwam het computerlicht in mij gedaald en ik bracht het over op mijn PC en die weer op mijn scherm. Mijn muis schoot alle richtingen uit en sinds lang had ik niet meer zo prettig gespeeld.

Godin Efeze vond het welletjes met al die hulp van hogerop en liet me in de kou staan, zodat ik – tot ik een cursus kan volgen – wel computer en muis, maar geen letter op printpapier krijg.

Al met al kon ik toch aan *Jeannetje van Diependaele* beginnen. Geloof me, ze is een heel vriendelijke vrouw. Ik hoop dat u haar even sympathiek vindt als ik, want ze loopt wel de hele tijd met ons mee.

O jee, hallelujah, Jeannetje, o, Jeannetje!

3

De wil van Zeus

Misschien heeft Zeus haar leven afgewogen. En waar een god ingrijpt, kan het verzet van de mens enkel schade berokkenen: goden zijn niet te onderschatten. Jeannetje van Diependaele kan erover meepraten. Ze heeft een mentaal gehandicapt kind. Misschien was dat de straf voor haar tomeloos leven.

'Loontje komt om zijn boontje.'

En dus liet Jeannetje de toorn van Zeus over zich gaan en berustte. Bovendien heeft ze dat kind wreed lief, als een zeeleeuwin die om een plaatsje voor haar jong moet vechten.

Het kind nadert de drempel van de administratieve volwassenheid. Het heeft een immens geheugen, maar herinnert zich niet hoe het een naam kan uitspreken. Het hoort woorden en klanken, begrijpt die ook, maar kan ze niet gebruiken. Zo heeft Zeus het beslist.

Vandaag is de dag. De gerechtsbrief liegt er niet om. De datum van de plechtige gebeurtenis staat er in dikdruk vermeld. Het uur ook. De plaats evenzeer.

De officiële uitnodiging steekt in de handtas van Jeannetje, naast haar lidboekje van de mutualiteit, haar portemonnee, het adresboekje, de kam en de poederdoos *Max Factor*.

Natuurlijk vergat ze haar zakdoek, hoewel ze voor ze haar flat verliet nog dacht: Ik mag die niet vergeten. Zo zeker als wat ga ik huilen!

Wekenlang heeft Jeannetje naar haar inwendige stem geluisterd. Die telde de dagen en op het laatst zelfs de uren. De stem zei:

'Het is zover, Jeannetje. De verlengde minderjarigheid van het kind is bijna een feit. Alle onkosten zijn betaald – kind mogen blijven is niet gratis – en het gaat nu nog enkel om een eenvoudige procedure.'

Als Mohammed niet naar de berg kan komen, komt de berg naar Mohammed en vermits het kind niet naar het Justitiepaleis kan – het is te ver en bovendien zou het als een draaiende tol niet weten in welke hoek gerold van onbehagen – komt die burcht van rechtspraak naar haar. Uiteraard mits betaling, want niemand loopt gratis. Zelfs schoenzolen kosten geld bij herstelling!

Al met al heeft Jeannetje daar geen moeite mee, al sloeg die betaling een rode toets aan op haar bankrekening, daarom niet getreurd. Het kind moest en zou beschermd tegen elke hand die haar ooit maar een haar zou krenken. En moet een kind met mislukt hersennet niet beschermd, voor het geval het de moeder zou overleven? Zeg nu zelf: hebben onmondigen geen recht van spreken, ook al komt het niet over de eigen lippen?

Jeannetje zit van nervositeit met een knagende worm in haar maag. Hij vreet zich in de wand als een carnivoorslemper. Ze lijkt wel de vrouw van Jan Kallebas die vuur ziet koken op het water, zo verward is ze. Maar goed. Of beter, niet goed.

Stipt, heel precies op tijd, komt ze aan in het instituut en ze loopt op een drafje – ze loopt altijd op een drafje – naar het paviljoen waar het kind verblijft. Achter gesloten, veilige deuren, waar men het voor haar opvoedt en grootbrengt, met normen en maatstaven van eindeloos geduld. Jeannetje kan die taak niet aan: ze weet niet hoe een duivel op een kussen te binden.

Jeannetje wordt verwacht, ze hoeft niet eens aan te bellen. Het kind staat in de ruime living – in training – op Jeannetje te wachten. Het loopt van Pier naar Pol en van de tafel naar de zetel, van het keukentje naar de gang, schreeuwend:

'Ieeeeeeeeeeee...' wat eigenlijk hetzelfde betekent als 'Wat overkomt me nu?' Als je het weet, vanzelfsprekend. Maar geldt dat niet voor alles, weten?

'Zeg eens *mama*,' beveelt de opvoedster.

Het kind kijkt Jeannetje met de haar zo eigen scheve hoofdhouding aan, met de licht voorovergebogen schedel waarop het gitzwarte haar troont als de opgebonden versierde staart van een eersteklas renpaard.

'Mam-ma,' perst het kind uit haar strottehoofd.

'Schatje,' zegt Jeannetje, 'hoe is het? Goed?'

Het kind schudt heftig met het hoofd, als een pruikenmaker die maar één klant meer heeft. En het knijpt in haar neus als rook ze een aalput of een Hervekaas die ligt te smelten in de zon.

'Ze maakt nu altijd die knijpbeweging, als ze iets prettig vindt,' zegt de opvoedster.

'Ik dacht dat ze wat rook,' lacht Jeannetje en ze knijpt ook in eigen neus.

Het kind schatert het uit en kletst zich op de dijen en meteen ook op de arm van Jeannetje. Een teken dat het kind ook zenuwachtig is – onwetend over het feit dat ze die dag voor eeuwig en altijd kind zal mogen blijven – en aanvoelt dat dit geen doordeweekse dag kan zijn!

Ze hoefde vanmorgen niet naar de klas, wat al een aanleiding was om te voelen dat rond haar – Zeus wist om welke reden – iets bijzonders werd gepland.

In haar natuur en ook in het gebeuren rond haar werkelijkheid steekt de oppergod, de stier, tragiek. Het kind lijkt een triest geschilderd sardientje, benepen ingeblikt, al zit er in zo'n visje van niemendal op zich geen verdriet. Nochtans zou Jeannetje van Diependaele gevoelsecht kunnen zeggen:

'Mijn kind is voor altijd mentaal benepen en beperkt in haar mogelijkheden – die inwendige krachten zullen nooit bewezen kunnen worden – om de tragiek en het effect van haar anders-zijn voldoende te uiten.'

Jeannetje maakt het allemaal niet zo ingewikkeld. Ze zegt gewoon tegen zichzelf, soms ook tegen haar vriend en heel zelden aan vreemden:

'Mijn kind is een triestig sardientje, levenslang opgesloten in een – weliswaar zeer goede – instelling.'

Goed of slecht, een tehuis blijft een artificiële omgeving en Jeannetje weet dat maar al te goed. En dat doet Jeannetje wenen vanbinnen als ze naar Timi Yuro's *Hurt* luistert. Al zou er nog een sonate of een hit over gecomponeerd worden: elke noot zou het kind wurgen met de pijn van de muziek die geen weerklank kan vinden in een hartje dat niet eens weet dat het moet kloppen om te leven.

Er is nu eenmaal geen muziek zonder noten of toonladders, zoals men ook geen beschadiging kan wegwerken als men de plaats van het letsel niet kent. Men staat hulpeloos en eenzaam tegen overmacht, als tegen een tyfoon of een aardbeving. De wetenschap is nog niet ver genoeg. Het menselijke – ook het dierlijke – is niet te peilen als het om bewustzijn en inzicht gaat: de geheimzinnige kronkels in ons hoofd, voor het gemak hersenen genoemd.

Ze draaft maar door, dat mens dat met zichzelf vanmiddag geen raad weet. Een spoor van zelfbeschuldiging achtervolgt Jeannetje.

En bij het kind zijn alle sporen uitgewist van wat oorspronkelijk de uitgestippelde baan moest zijn; zomaar geschonken omdat ze het zelfs aan verminderde prijs aan de stenen niet kwijt konden, denkt Jeannetje ook nog – er komt geen eind aan haar gedachten – als ze arm in arm met het kind in de gang aan de receptioniste bij het loket vraagt:

'Waar moet ik zijn voor de verlengde minderjarigheid van mijn dochter?'

'Eerste gang links, derde deur rechts,' zegt de receptioniste die na al die jaren als het ware vergroeid is met het loket. Zoals het kind vergroeid is met de instelling en Jeannetje met haar ongeregeld leven. En met de voortdurend terugkerende poging haar levensbaan in een directe lijn te krijgen.

Jeannetje en het kind lopen, nog altijd arm in arm, de lange gang in, waar een moeder met mongoolzoon en een mooie blondine met aktentas staan te wachten. Inderdaad, bij de derde deur.

'Dag,' zegt Jeannetje en het kind *'ieieiet'*.

'Ook voor verlengde minderjarigheid?' vraagt de andere moeder wiens mongool *'ho-ho-hoot'*.

De ranke blondine stelt zich voor als de advocate van de twee onmondigen. Ze geeft Jeannetje en het kind een hand.

Het Openbaar Ministerie, denkt Jeannetje.

'Ee,' roept het kind en het geeft haar vertegenwoordigster een patsklets op de schouder. De dame glimlacht minzaam. Voor haar is het feit bewezen; dat zie je aan de ogen waarmee ze haar pupil aftast.

'Het is tijd,' zegt Jeannetje, want de wijzers van haar uurwerk staan op drie en twaalf. En het kan niet vlug genoeg voorbij zijn.

'Uw raadsman is er nog niet, mevrouw,' zegt het Openbaar Ministerie.

'Hij zal in de file zitten,' meent Jeannetje, 'alles zit strop.'

Het Openbaar Ministerie bekijkt haar argwanend om zoveel begrip.

Om de tijd te doden, rukt het kind de arm-in-arm los, loopt met stampende voeten naar de kamer toe en bonkt op de deur.

'Niet doen,' zegt Jeannetje en ze probeert armgreep te krijgen op het kind dat gierend en schokkend van het geheimzinnig lachen over de gangvloer rolt.

Jeannetje begrijpt ineens waarom zelfs de procedure van verlengde minderjarigheid een trainingspak vraagt.

Tien minuten lachen zich voorbij in een lawaaierige chaos van vallen en opstaan, bonken en schoppen tegen een deur die dat al eerder moet meegemaakt hebben, want ze draagt letsels in strepen en putten.

De raadsman komt eindelijk de gang ingeschoven.

'Excuseer,' zegt hij, 'maar ik zat vast in een file.'

Hij geeft iedereen een hand. Het kind kijkt hem met schuin gedraaid, altijd-hetzelfde-gebaar-hoofd aan en geeft hem een schop tegen de schenen.

De raadsman geeft geen kik, zijn brilmontuur schokt niet eens, zijn aktentas blijft stevig in zijn hand.

'Is ze altijd zo?' vraagt hij doodkalm aan Jeannetje die zegt:

'Meester, heb ik u niet genoeg over haar verteld?'

'Icicicic,' dreinst het kind, dat opnieuw de deur als slachtoffer kiest. Die geeft het op en gaat open. De moeder en zoon-mongool worden uitgenodigd binnen te gaan, het Openbaar Ministerie vergezelt. De deur sluit. Stevig houdt Jeannetje het kind aan de hand.

'Stil,' beveelt ze het kind, dat lachend haar zwarte vlecht beknabbelt en tegen de radiator schopt. Haar gitzwarte ogen schieten de raadsman omver.

Tien minuten verstrijken moeizaam tot het kind met vuistgeklop op het fragiele raam tot wat meer administratieve haast aanport. Het lukt. De deur gaat open: moeder en levenslang mongoolkind komen opnieuw de wachtgang in. De zoon is er blijkbaar niet beter op geworden zo te zien en de moeder evenmin. Want ze kijken bloedrood en zijn lijkbleek. Het Openbaar Ministerie komt even naar buiten, spreekt met haar verlate confrater en daar gaat Jeannetje lichtjes bevend op de benen en met het kind aan de hand – tegenstribbelende gebaren en afweerhoudingen – de procedure-gelegenheidskamer in.

Drie onbekende justitievertegenwoordigers kijken hen aan, vragende blikken tasten het kind en de moeder af.

Het kind wil weglopen uit de beslotenheid van de onbekende kamer.

'Sst,' zegt Jeannetje, 'het is zo voorbij. Blijf maar bij mama. Hier, zet je op de stoel.'

Het kind schuift onwennig heen en weer over de houten zitting en maakt van de gelegenheid gebruik het Openbaar Ministerie een slag toe te brengen, omdat die het dichtst in de nabijheid is. Jeannetje neemt plaats aan de rechterzijde van het kind, de advocaat volgt de rij. Met zijn drieën kijken ze de rechters aan die, met het dossier voor zich, zo groen kijken als de kaft. Het Openbaar Ministerie houdt zich links afzijdig.

De stilte kruipt naar de koffiegeur die vanuit de aanpalende kamer binnendringt.

'U bent de moeder van het kind?' vraagt de opperrechter.

'Jawel, edel-*slik*-achtbare,' stamelt Jeannetje.

'Aaaa,' zegt het kind.

De rechtbank buigt zich licht voorover om het kind aan te spreken, luid en duidelijk articulerend.

Dat heb je meer gedaan, denkt Jeannetje. Haar raadsman legt de knieën over elkaar en kucht.

'Waar woon je?' vraagt de rechter aan het kind dat hem beloert als een bisbillese splijtzwam.

'Ie,' zegt het kind en wijst met de linkerarm door het gordijn in de richting van het paviljoen.

Jeannetje knijpt haar goedkeurend in de hand. Het kind lacht luid met ophalende kreten, in schoktempo. Ze patst haar vuist op de tafel waarop, waarschijnlijk voor de plechtigheid, een witte met kant afgeborduurde nap ligt.

'Ssst,' zegt Jeannetje.

'Hoe heet je?' vraagt de rechtbank.

'Ie,' zegt het kind. Blikken kruisen.

'Kun je rekenen?'

'Aaa.'

'Hoeveel is drie en drie?'

Stilte. Het kind kijkt ongelovig van Jeannetje naar de rechters. Jeannetje knikt het toe. De middelste – waarom zit de belangrijkste altijd in het midden? – toont drie vingers en ernaast heft hij, met de andere hand natuurlijk, nog eens drie vingers in de lucht.

'Ie,' zegt het kind.

'Kun je lezen?'

Jeannetje schudt onbewust het hoofd, de rechtbank negeert haar. De raadsman kijkt naar de punten van zijn schoenen. Zijn handen houdt hij ineengestrengeld over de op elkaar liggende knieën, zijn grimlach is niet te peilen. Hij kijkt, zoals Jeannetje hem door de vele procedures heen kent. Verveeld door de situatie. Misschien heeft hij meer hart dan ik veronderstelde, denkt Jeannetje. Ze wordt zich, rauwer nog, bewust van de omgeving.

'Kun je lezen?' herhaalt zich de vraag.

Het kind staart de rechtbank verwezen aan.

'Hier, kijk,' zegt de edelachtbare. Hij houdt haar de groene dossierkaft voor en zijn vinger priemt op 'van'.

Rechtbank van... ontcijfert Jeannetje, maar ze heeft haar leesbril niet op om te weten te komen welke soort rechtbank het is. En haar geheugen laat haar in de steek. Hoe zou het anders kunnen?

Het kind springt recht, trekt aan het tafellaken en grabbelt tegelijk naar de belangrijke kaft, die er met een verkreukelde voorkant van af komt. De drie mannen-oordeelvellers kijken elkaar aan en broebelen een voor een leek onverstaanbare taal.

'Goed,' zegt de rechter. 'Nu eens kijken wat je doet, hier op school.'

Het kind veert als een springplank recht en loopt naar de deur van waaruit de koffiegeur vertrekt. Met beide handen snokt ze die open, wijst de kamer in. Jeannetje er achteraan.

'Ze rook en begreep uw vraag, edelachtbare,' zegt Jeannetje. 'Ze werkt op school vaak in de keuken.'

'Voor ons is de toestand duidelijk,' zegt de opperrechter, 'u kunt gaan. Uw raadsman zal u ten gepaste tijde de beslissing van de rechtbank overmaken, want de vader moet nog gehoord.'

'Wat?' schreeuwt Jeannetje geïrriteerd, het gemoed vol. 'Wat! De vader heeft haar in dertien jaar niet eens gezien en nu moet hij nog gehoord worden ook?'

'Mevrouwtje,' zegt de rechter, 'de wet is de wet, maar voor ons is de zaak duidelijk!'

'Kon hij dan niet op voorhand de papieren tekenen?' gniffelt Jeannetje.

'Meneer heeft een brief geschreven, dat hij hier vandaag niet aanwezig kon zijn,' blijft de rechter kalm.

'Natuurlijk,' zegt Jeannetje, 'hij is met vakantie. Die zit weer eens aan de Loire te koekeloeren.'

Van ingehouden woede om zoveel onrechtvaardigheid moet haar Franse *colère* het afleggen tegen de waardigheid die ze zich voorgenomen had, te zullen dragen.

'Dag mevrouw,' zeggen de leden van Justitie.

'Aaaaa,' zegt het kind en stampvoetend loopt het met Jeannetje naar de deur, die achter hen in het slot klikt. Als getuige.

In de gang neemt de raadsman afscheid van Jeannetje en het kind.

Het kind trekt aan de mouw van de raadsman.

'Weet u, meester,' zegt Jeannetje, 'een paar ogenblikken geleden moest ik aan mijn grootmoeder denken, die mij vertelde dat vroeger de beelden bovenop het justitiepaleis helemaal naakt stonden en op bevel van de eigenaars van het gebouw gedrapeerd werden met loshangende gewaden.'

'Daar weet ik niks van, mevrouw van Diependaele. En trouwens, wat bedoelt u hiermee?' vraagt de raadsman ietwat verwonderd om de bizarre opmerking. Want ze zijn toch niet in het justitiepaleis...?

'De wet moet soms de ogen sluiten voor de naakte waarheid, meester,' antwoordt Jeannetje. 'Een vader die zich nooit om het kind bekommerde, zou geen inspraak mogen hebben. Zelfs niet informatief!'

'Aaaa,' roept het kind, dat met een scheef hoofd en spleetblik naar de gesloten kamer wijst.

'Ze heeft zich heel erg goed gehouden,' zegt de raadsman en hij voegt er even vlug aan toe: 'Gelieve me te verontschuldigen, mevrouw van Diependaele, ik moet weg, want binnen een kwartiertje heb ik een andere zaak.'

'Ik hoop voor u, dat u niet in een file terechtkomt,' zegt Jeannetje en meteen is ze zich ervan bewust dat ze voor de zoveelste keer onachtzame woorden heeft gesproken, die ze niet zo bedoelde.

De warme handdruk bewijst dat hij Jeannetje, na al die rechtsgedingen, stilaan al wel kent.

'Tot later,' zegt hij.

'Tot later, meester,' zegt Jeannetje.

'Aaaa,' zegt het kind en het schopt tegen de radiator.

'Kom,' zegt Jeannetje, 'we gaan terug. Als mama kan, komt ze je zondag halen.'

'Aaaa,' zegt het kind en samen lopen ze de weg naar het paviljoen terug. Ze lopen langs de wei waar het paard 's zomers op zijn brede kalme rug zijn vaste klanten een ritje laat maken.

'Paaa,' wijst het kind.

'Ja,' zegt Jeannetje terwijl ze de brok in haar keel probeert weg te duwen.

'Mam-ma,' zegt het kind.

'Ja, ik ben je mama,' zegt Jeannetje, 'en jij bent mijn kind, voor altijd.'

'Aaaa,' zegt het kind.

'Kijk,' zegt Jeannetje naar de lucht wijzend, 'daar vliegt een vliegtuig.'

'Aaaa,' zegt het kind en ze haakt haar arm vast in die van Jeannetje.

'Als je in november achttien wordt, gaan we samen naar het land van Bobbejaan,' fluistert Jeannetje.

En ze knijpt haar neus dicht. Het kind schatert en knijpt ook.

Een geknijpsel van jewelste...

'Kom hier jij,' zegt Jeannetje en met de arm om de schouders van het kind stapt ze de paviljoendeur binnen.

'Dat was vlug geregeld, geloof ik,' zegt de opvoedster.

'Ja,' zegt Jeannetje.

'Aaa,' zegt het kind.

En weten, denkt Jeannetje, dat ik thuis niet eens zal kunnen uithuilen. Want hij wil met geen moeilijkheden geconfronteerd worden... Ik kan het hem niet eens kwalijk nemen; als de echte vader er niet naar omziet, hoe wil ik dan dat een vreemde het doet.

En met een scheur in haar gevoel zet ze zich achter het stuur.

'Grr,' moppert het wagentje bij het starten.

'Goed zo,' zegt Jeannetje, 'aan u heb ik tenminste nog wat.'

En ze rijdt de avond tegemoet. Naar een flatje gejalonneerd door de driemijlengrens van de kleine kamers. Waar de televisie alle ruimte snaait en opslokt.

'Le chevalier de l'industrie,' zegt Jeannetje daar tegen.

4

Kukelekuuuu...

Jeannetje heeft haar tranen gedroogd op het ogenblik dat ze zijn sleutel in het slot hoort. Haar ogen staan getrokken, haar oogleden gezwollen, haar neus is zo rood als een rijpe aardbei.

Gelukkig merkt hij het niet, want hij loopt er de laatste dagen wat afwezig bij.

'Ik was vanmiddag in het instituut,' zegt ze, 'voor die verlengde minderjarigheid.'

'Was dat dan vandaag?' vraagt hij.

'Ja,' zegt ze.

Hij vraagt niet hoe het was, hij wenst niks te weten over de problemen die ze meesleurt.

'Wat eten we vandaag?' vraagt hij, 'want ik heb honger als een paard!'

'Stoofvlees en frietjes,' zegt Jeannetje.

'Zelfgemaakt?'

'Kant en klaar gekocht, ik had geen tijd meer,' zucht Jeannetje.

De avond verloopt in zwijgen, zappen en zippen, van het ene televisiekanaal naar het andere, de draaiende wereldbol laat al z'n ellende op het scherm zien. Langzamerhand verdwijnen de trieste gevoelens van Jeannetje.

Jeannetjes vriend zegt:

'Al met al hebben we het hier nog niet zo slecht.'

'Ja,' geeft ze toe, 'slecht is wat anders en goed is ook wat anders.' Waarna gezapt wordt tot er een seksfilm verschijnt om verhitte gedachten en gevoelens wat rust te brengen, ook voor Jeannetje.

'Ik ga slapen,' zegt ze, 'morgen heb ik een drukke dag, want ik moet naar mijn vader, en boodschappen doen en wie weet wat er allemaal nog uit de vergeethoek komt.'

Jeannetje kleedt zich uit naast het vuur. Haar kleren vallen tussen haar pantoffels. Haar voeten laten een vochtige afdruk achter op de vloer.

'Ik ben weer bezig zweetvoeten te kweken, met die oude-wijvesloffen,' zegt ze. 'Ik zal weer boorzuurschilfers in mijn kousen moeten gieten.' En meteen is ze zich ervan bewust dat het verdriet om haar dochtertje haar het gevoel voor de realiteit niet kon afnemen.

Wie aan z'n voeten denkt, is een vooruitziend mens, denkt ze, want daarop moeten we door het leven lopen.

Ze trekt haar nachtkleed over het hoofd. Waarom eigenlijk? In bed ligt ze toch dikwijls met gans haar onderstel bloot...

'Ik zou beter pyjama's dragen,' zegt ze, 'maar dan krijgt mijn dinges geen lucht.'

'Ge zoudt beter helemaal niks aantrekken,' zegt haar vriend. 'In bed wil ik uw thermometerke van een lijf voelen.'

'Ik heb een barometer,' zegt ze, 'gij loopt rond met een instrument dat de warmte kan meten.'

'Ik zal straks eens kijken hoeveel graden ge hebt,' lacht hij.

'Mijn barometer staat waarschijnlijk op vochtig,' grapt ze mee.

'Godverdomme, gij sekswijf!'

'Neen, neen,' weerlegt ze, 'het is te hopen dat het weer omslaat, dan kan ik nuutjes slapen.'

Maar in bed heeft Jeannetje geen zin in het liefdesspel.

'Wat is dat in 's hemelsnaam met u tegenwoordig?' vraagt hij teleurgesteld.

'Och,' zegt Jeannetje, 'ik ben veel te veel met vanalles bezig. Mijn werk, mijn vader, de kinderen...'

'Als ge mij wilt houden, zult ge toch anders moeten beginnen redeneren,' zegt hij, 'wij en niemand anders!'

God, denkt ze, moet ik hem nu ook kwijtraken? We hebben het anders toch goed samen...

En ze denkt aan haar vorige vriend. Nu ja, vriend is wel veel gezegd. Hij was tien jaar jonger dan zij en ongehuwd. Een vrijgezel. Woonde nog bij zijn mama in. Had zijn ganse loon voor een luilekkerleven, waarin alleen een vrouwenkont ontbrak. Moeder werd oud. Ze zou niet lang meer voor hem kunnen zorgen, wassen en plassen, pispot uitdragen en zijn schoenen elke dag poetsen.

Hij, Lionel, was dringend op zoek naar een vrouw. Niet te mooi, anders houd je ze niet, en ook niet te lelijk, anders kun je er zelf niet naar kijken.

Jeannetje had Lionel ontmoet op een bal voor alleenstaanden. Met Frieda, de benedenbuurvrouw die al twee venten onder de grond had, was ze erheen gestapt.

'In de grond waren het alle twee goede mannen,' zei Frieda en ze lachte haar witte kunsttanden bloot. Haar ogen waren blauwe verten, haar mond een toeter van een raamzuigeraquariumvis, geoefend op slurpzoenen.

'En toch moet ik nog een man vinden,' zei ze, 'dan heb ik een groter pensioen als hij sterft. Weet ge dat ge zestig tot tachtig procent kunt krijgen van de twee inkomens samen? Ik zoek me dan ook altijd een vent met een hoge rente, alhoewel die moeilijk te krijgen zijn. Tegenwoordig! Ze nemen zich liever een jonge spring-in-'t-veld, met alle risico's vandien. De berekening van zo'n overlevingspensioen is ingewikkeld. Daar moet ge een specialist voor raadplegen.' Zei ze, met nadruk op 'specialist'.

Jeannetje zag dat niet zitten.

'Met zo'n oude vent kunt ge geen seks meer hebben,' vond ze, 'ik heb ze al wel tien jaar jonger gehad. En kon er zelfs een krijgen van twintig... Maar die had paardetanden.'

Ze verzweeg hoe ze zich met hem in bed had gevoeld. Voor Jeannetje was het lichaam seksueel van in het begin een kern van lust. Van iemand houden hield voor haar in: hem haar lichaam schenken, helemaal, van kop tot teen, van binnen en van buiten. Zonder naar de tijd om te zien. Ze was als bezeten door de lichamelijke liefde, want zonder dat zou haar lichaam geen brandtrap hebben om aan haar inwendig vuur te ontsnappen.

Tijdens het vrijen met die jonge minnaar – in haar drift vergat ze de paardetanden – zag Jeannetje opeens kleine onvolmaaktheden aan haar eigen lichaam, die haar nooit eerder waren opgevallen. Ze kon haar ogen niet afwenden van die nutteloze gebreken die zich begonnen te openbaren. Ze zag haar paardetandeminnaar niet meer, ze zag de twee ineengestrengelde lijven niet meer, ze keek alleen nog naar de jaren die aan haar huid begonnen te trekken. Langzaam, maar zeker. De sensuele aantrekkingskracht vluchtte in de spiegel aan de wand. Jeannetje sloot de ogen en versnelde de daad. Die confrontatie met de realiteit kon niet snel genoeg voorbij zijn.

'Ge zijt te jong voor mij,' zei ze bij het afscheid, 'het wordt stilaan tijd dat ik in bed het licht mag uitschakelen.'

De jonge paardetand stond haar te begapen toen ze bij die laatste uitspraak een koordjetrek-gebaar maakte – waardoor het licht in de kamer zou uitgaan – en begreep niet dat zij door die simpele handeling de essentie van het ogenblik duidelijk maakte: eindelijk een beschuttende thuishaven voelen.

Deze herinnering was in fracties van seconden bij Jeannetje opgekomen, terwijl Frieda stond te trappelen van ongeduld, als iemand die zonder het te weten aan de Sint-Vitusdans leed, en zei:

'Ho, ho, mijn kind, bij de ouderen kunt ge nog veel leren; want die lopen op hun laatste benen en willen het nog elke dag. En bij zo'n jonge kerel... tjip, tjip, tjip en 't is gedaan!'

'Ik begrijp niet hoe gij dat kunt,' zei Jeannetje, 'iedere man bracht u geld op en de mijne maken me altijd maar armer.'

'Ge moet het verstandiger aan boord leggen,' zei Frieda, 'zorgen dat ze een vast inkomen hebben en hop, bed in, trouwen en houden wat ge hebt. En ze langzaam doodkriebelen.'

Van dat inkomen en dat bed... tot daar kon Jeannetje volgen, maar over trouwen en houden had ze haar eigen mening. En over dat doodkittelen, daarvan stond niets in haar woordenboek!

'Ge zult het nog wel leren,' zei Frieda, 'kom maar eens met mij mee, naar zo'n bal in het Casino.'

Daar had Jeannetje dus Lionel ontmoet, een stil, minzaam water, met een baardje en een brilletje. Hij was de zoon van een slager-zaliger en van een moeder die geen vrouw goed genoeg voor hem vond.

Hij was bediende – zei hij – en hij had seminarie willen doen – zei hij – en hij was te braaf om dood te doen. Ook die avond van hun ontmoeting.

Dat van het seminarie had ze al vlug in de gaten, van toen hij...

Maar laten we niet vooruitlopen, de stoet is al lang genoeg!

We laten alles rustig op zijn beloop, we volgen de regels van het spel.

Jeannetje had zich opgemaakt. Niet te deftig, niet te vulgair. Ze droeg een zwart rokje en een zalmkleurige bloes, met bloemenslingers op de mouwen en hetzelfde motiefje dunnetjes overgedaan op de kraag. Haar gezicht droeg een laagje make-up op zijn Frans, met een strijkje blos op de wangen, een florissante garnituur: van de slapen naar de kaken.

Hoge schoenen had ze aan. Knappende panty rond de benen, die blonk van zelfvertrouwen. Haar zoom viel net middenin de knieën. Haar rokje danste bij het lopen; het draaide zacht bij het keren. Het wou niks missen. Vol verwachting keken de plooien elkaar aan. Glad. Zacht. Freulig. Zo'n rokje was dat. En Jeannetje voelde zich ook zo. Het zwarte schoudertasje met gouden slot hing los langs haar heup. De hakken klikten alsof ze het tapdansen gewend waren. Heerlijk. Oh, wat stelde Jeannetje zich die avond aan...

'Mannen jagen,' zei Frieda en Jeannetje kreeg het gevoel van toen ze kind was en tussen de struiken cowboy en indiaantje speelde.

Ze zou cowboy zijn vanavond. Dat stond zo vast als een ranch. En de lange riem van haar handtas voelde ze als de lasso waarmee ze een rund zou vangen. Ze stelde het zich nogal voor, dat Jeannetje. Tot ze er was.

Wie ooit op zo'n party was, kan zich de entree gemakkelijk voorstellen. Wie er nooit was of naartoe zou gaan, heeft niks gemist. Ieder werd er gekeurd als een koe. Benen te kort, achterwerk te dik. Borsten te klein, neus te groot. Te oud, te jong, te gezet, te dun. Niemand scheen in de maten te vallen. De bochten schoten altijd te kort.

Jeannetje was al van plan rechtsomkeer te maken, terug naar de vestiaire te lopen, te rennen bijna... had Lionel ook niet geschokt staan kijken naar de hele show, waar in het midden van de balzaal de *Frenchcancan* bijna furore maakte. Toulouse Lautrec had hier zijn goesting kunnen schilderen, dacht Jeannetje.

Lionel – zijn naam kende ze toen nog niet – stond bij de brede deuren te aarzelen tussen weggaan en blijven. Hij keek naar haar en Jeannetje naar hem. Hij haalde de schouders op en zij ook. Ineens vatte hij moed en schoof naar haar toe, als was hij de *moonwalker*.

'Lionel,' stelde hij zichzelf voor.

'Jeannetje,' zei ze.

Ze gaven elkaar de hand. De lasso gleed van haar schouder, de handtas viel op de grond, Lionel raapte hem op en Jeannetje zag het kleine kringetje bovenop zijn schedel – herinneren we ons het seminarie.

Een onuitwisbaar kringetje, een gegoten kale vlek.

Een mislukte pater, schrok ze. Lieve hemel, de kerk in het feestpaleis...

'Je zou er onhandig door worden, als je dit allemaal ziet,' zei hij.

'Ik ben onhandig, ook als ik dit niet zie,' zei ze.

En toen vloeiden woorden uit zijn mond als een school zwemmende haringen die in een stroomversnelling zaten. Net een pastoor op de preekstoel van le Corbusier.

'Kijk,' zei hij, 'hier zie je nu de gemiddelde hoeren.'

'Dank u,' zei Jeannetje.

'U bedoelde ik niet,' weerlegde hij, 'ik zag hoe huiverig u hier bleef staan, hoe u van plan was op te krassen... Of niet soms?'

Jeannetje knikte en zwaaide naar Frieda, die al met een karkas in kleren op de dansvloer stond te wippen. De *charleston*: met zwaaiende armen over de benen, langs alle kanten slaand.

'Wat men hier ziet,' spuugde Lionel, 'is de gemiddelde Belg, die zich tussen alle oorlogen die op zijn kleine grondgebied uitgevochten werden, in alle bochten moest wringen om zichzelf te blijven.'

'Klopt,' zei Jeannetje. 'Wat ik hier zie, is het bewijs dat er veel eenzame individuen met weinig gebaren op onze planeet lopen. Met andere woorden, het gebaar is belangrijker dan de mens. Kortom, veel volk dat allemaal hetzelfde doet. Ik ben een individu, ik hoor hier niet.'

En Jeannetjes arm schoot omhoog met de gratie van een aardige pluimarabeske. Alsof ze een vederballetje opgooide, om een minnaar te vangen.

'U bent een individu met persoonlijke gebaren,' lachte Lionel.

Jeannetje hoorde hem niet. Ze was op dat ogenblik vergeten, voor de zoveelste keer, dat ze binnen de tijd van haar lichaam leefde. Ze voelde zich leeftijdsloos. En in de ogen van Lionel, die waarschijnlijk in gedachten de bal ving, zag Jeannetje opeens een vreemde ontroering. Zijn brilleglazen dampten aan. Door een heel eenvoudig, charmant gebaar werd hem heel eventjes de inhoud van haar vrouw-zijn getoond, los van tijd en plaats.

'Ik ga,' zei ze. Voor gezeur was ze nu ook niet bepaald gekomen... En naar de kerk ging ze als het moest. Voor begrafenissen en zo...

'Mag ik u op een etentje trakteren?' vroeg Lionel plechtig, de hand als Napoleon in zijn jas, zijn brilletje op de punt van zijn neus. Wie zegt daar neen op, als je met een rammelende maag loopt, met een dringend verlangen naar een opkikker zit en ook nog van het bestaansminimum moet leven?

'Goed,' vond Jeannetje. Haar ogen zochten vergeefs naar Frieda, die tussen de menigte *'Yes sir, that's my baby'* stond te krijsen.

Vooruit dan maar, ze hadden toch niks voorzien om samen weer naar huis te gaan. Pientere Frieda.

Lionel hielp Jeannetje in haar jas en ze liepen naar zijn wagen. Lees nu: restaurant, cocktail maison, voorgerecht, potage, hoofdgerecht, wijn, nagerecht, koffie, cognac. Betaal: achtduizend franken, het bedrag waar Jeannetje het een halve maand mee moest doen. Slik, hik. Sluit zalig de ogen als twee violen *De Tsardasvorstin* aan uw tafel komen spelen, uw ogen wazig worden van ontroering en hij door de *Lisel Grain de Gris* uw hand vastneemt en zegt: 'Laten we opkrassen, schat!'

Hij reed Jeannetje naar huis, veronderstelde dat ze behoorlijk dronken moest zijn na de mengeling witte en rode wijn, maar wist van toeten of blazen niet dat ze zo goed tegen drank kon. Misschien kwam het door de levenservaring *on the sunny side of life*, of mogelijk schortte er wat aan haar hersenen. Ze noemen zoiets een bepaalde allergie hebben voor alcohol. Maar daarvan had hij geen benul. Ze *drivden rodeo* door de Gentse straten. Gent... Stad van hernieuwde vechtlust, tot de strop. Geliefde stad. Stad van de liefde...

Laten we overgaan tot de daad, waar het in feite allemaal om begon. Het vinden en hebben van een man, de goddelijke stier.

Er werd genoeg geënsceneerd. De rest moeten we ons maar zelf voorstellen, daar in die Saporo. Want, tussen zijn hendel en haar geplooid rokje ging zijn hand over en weer om zijn versnellingen te vinden en om zich ervan te vergewissen of Jeannetje wel had wat hij zocht.

Er hing nattigheid in de lucht. Het begon te regenen. Laten we de vochtigheid in de wagen het voorspel noemen. Dat eindigt als ze in de woonkamer bij haar thuis zijn. Thuis. Bij Jeannetje. Waar?

In de woonkamer, de living zoals ze die durven noemen. En of er geleefd zal worden... gevoelige zielen slaan beter deze passage over, en ook de preutse recensenten. Alstublieft, laat ons in vrede waarnemen wat er te beleven valt.

Lionel geeft Jeannetje een klap op haar achterwerk. Ze staat met de rug naar hem toe, vol verwachting, want ze houdt ervan bemind te worden. En die Lionel ziet er een toffe gast uit en is ook nog ongehuwd en jonger dan zij. Met een vast inkomen. Zijn vroomheid kan geen kwaad, want leven en laten leven is haar motto. En trouwens, ze heeft geen verplichtingen. Ze moet aan niemand verantwoording afleggen. Jeannetje zit op het vinkentouw.

Lionel grijpt het geslachtsdeel dat hem moet toebehoren, zo heeft hij het beslist. De dijen worden wijder gemaakt. Hij dwingt haar hem aan te kijken. Met zijn knie houdt hij de gespreide benen uit elkaar. Haar borsten haalt hij uit de zalmkleurige bloes, ze hangen over een vleesgetinte beha. Hij nijpt de tepel tussen zijn duim en wijsvinger, hij draait eraan als was het een vijs. De andere hand wandelt over de schaamharen. De zelfbewuste panty moet eraan, de hogehakkenschoenen vliegen in een hoek. Kedoing.

Het is al drift wat de klok slaat. Slip naar beneden. Grond. Wit verloren dingetje op koude stenen. De kutflappen openen zich. Hij laat zich zakken, zijn hoofd tot bij de opening, die ruikt naar de zee. Hij likt die leeg. Zij kronkelt en deint over en weer. Lekkerrrr.... schreven we bijna. Die roterende beweging erbij en hij kan hem niet langer in zijn broek houden. Een flanellen donkergrijze. De pantalon.

'De hemel sta ons bij,' fluistert hij en schudt de donkergrijze naar beneden, stapt eruit als een clown. Daar staat hij, onderstel naakt en pikkig. Hij heft haar op de zijkant van de tafel, de benen open als een zeeman op een stormschip, de mond een gapende haaiebek, de tong likt over rooftanden, eigen tanden.

Nu de daad.

Hij ramt en bonkt zich in haar, houdt haar tegen zich aan, met beide handen rond haar twee achterbulten. Zij steunt de armen achterwaarts op de tafel; die kreunt en geeft mee. Op de een of andere manier is er geen ontkomen aan. Hij vindt haar ritme en zij het zijne. Zijn stoten komen waar zij het lekker vindt, ze geeft toe en laat zich helemaal gaan. Zo komt ze in de paternosterlift. Samen blijven ze op de hoogste verdieping hangen, ze komen... net op het ogenblik dat een van de tafelpoten breekt. Ze donderen naar beneden en zij roept:

'Smeerlap, die gaat ge mij betalen!'

Iedereen mag verder lezen!

Hij trekt zijn broek aan, veegt onderweg zijn ding af aan zijn wit hemd, ritst zijn gulp dicht en kijkt haar uitgeblust aan. Nog nooit in haar leven was ze zo vlug recht: borsten terug in de houder, broekje aan. Schade bekeken. Op blote voeten, zweetvoeten.

'Wat erg,' zei Lionel, 'heremijnziel.'

'Erg,' schreeuwde Jeannetje, 'niets te heremijnzielen, die zal mijn tafel niet herstellen.'

'Sst, sst,' fluisterde Lionel, 'ik koop er een nieuwe. Morgen. Deze kan ik niet repareren.'

Waar bleef de haringwoordenstroom?

'Hoe weet ik dat ik u nog zie?' vroeg Jeannetje achterdochtig.

'Ik blijf overnachten. Dan gaan we morgen samen, eerst,' zei Lionel.

'Niks van,' vond Jeannetje, 'maar ik wil wel uw paspoort, mocht ge het al vergeten zijn morgen.'

'Zo,' zei Jeannetje, terwijl ze de tafel naar het achterhuis probeerde te sleuren, met draaien en keren. Dat lukte niet want de deuropening was te smal om de confrontatie met een houten invalide aan te gaan. Lionel sloeg er met een hamer ook de andere poten af.

Daar stond de pootloze tafel te staren naar twee verschrompelde zielen.

'Kom,' zei Jeannetje, 'laat mij gaan maffen. Het was een rare dag.'

'Laten we nog iets drinken,' zei hij vlug.

'Ik heb niets in huis,' zei ze.

'Zo verholpen,' oordeelde Lionel en hij reed spoorslags naar de nachtwinkel, een paar straten verder. Daar had

Jeannetje wel oren en nog meer zin naar. Twee flessen bracht hij mee. *Amorretto* en *Bailey*...

En bij het drinken vertelde Lionel.

'Ik ben geen schoft,' zei Lionel, 'ik zoek een vrouw en dat schijnt me maar niet te lukken. Wat wil je, met mijn verleden? Een mislukte pater moeten ze niet; ze denken dat de grote baas altijd staat toe te kijken.'

Jeannetje antwoordde niets en dronk haar *Bailey*. Lionel ging door. Ze nam nog een *Bailey*. En nog een en nog een. Hij mitrailleerde verder zijn biecht af. Jeannetje begon aan de *Amorretto*, de *Bailey* was leeg.

'Ik had beter mijn voorzorgen met u genomen,' vond ze, 'tegen besmetting met die gevaarlijke ziekte. Meer nog, ik had mijn lijf niet moeten volgen.'

'Kijk,' zei Lionel, 'mijn medisch kaartje. Geen aids.' Het stak in het bovenzakje van zijn hemd.

'Makkelijk, dat altijd bij de hand te hebben,' zei ze.

'Klopt, ik ben afhankelijk van mijn pik.'

'Wat ge de ene dag niet hebt, kunt ge de volgende krijgen,' antwoordde ze, 'daarom haat ik lat-relaties. Ik wil een vaste. Zonder liefde en tederheid is de vracht zwaar en plakkerig. Net een lading dadels die voorbij rijdt. Eerlijk gezegd, ik betreur het dat ik u meenam. Het moet het zigeunerorkest geweest zijn. Ik ben ook zo'n romantische ziel.'

'Je drinkt wel heel erg veel voor een romantica,' oordeelde Lionel.

'Ik doe alles vlug,' zei ze.

'Merkte ik ook,' zei hij als een gespannen veer die losgelaten wordt, 'je zou na al die opslag straalbezopen moeten zijn.'

'Ik zou, maar ik word het niet,' weerlegde ze.

'Ik val altijd op de verkeerde vrouw, jij zuipt,' zei hij.

'Alleen als ik daar zin in heb en nu heb ik dat,' zei ze stroef.

'Mijn moeder drinkt nooit,' schudde zijn hoofd.

'Jammer voor haar,' zei Jeannetje, 'en ik verwed er mijn kop op dat ze maar met één man haar bed deelde... jouw vader.'

'Klopt,' zei Lionel, 'een boom van een vent. Baas in huis. Mijn moeder mocht de deur niet uit. Maar dat was zo, in die tijd.'

'Dat is nog zo,' vond Jeannetje, 'wie niet opkomt voor zichzelf heeft niks en de meeste vrouwen vergeten dat en bloeden dood achter de zitbank. We leven nog altijd in de negentiende eeuw. Ze denken nog altijd, omdat ze stemrecht kregen, mogen studeren en werken, dat ze vrije vrouwen zijn. Maar er zijn er zo weinig die hun vrouwtje kunnen staan van *Kijk zie, nu is de afwas voor u, want ik ben moe.*'

'Je lijkt anders wel aardig in de twintigste eeuw te leven,' meende hij.

'Wie me zo niet neemt, die laat me maar,' zei ze en ze nam nog een slok. De laatste.

'Je bevalt me wel,' zei Lionel, 'je bent anders.'

'En of,' zei ze, 'als ge nog van plan zijt een tafel naar de kloten te bonken, breng dan condooms mee en ik wil per poot betaald worden. Anders trekt ge maar bij mij in. Een vaste huiselijke relatie kost geen bal en de vaat zal ik u wel wijzen.' En ze dacht aan Frieda.

Lionel moest vertrekken, want Jeannetje geeuwde en gaapte als een oester die gedodijnd wordt. Hij zigzagde met zijn groene Saporo de straat uit.

'Hebt ge van uw leven,' zei Jeannetje, toen ze nog licht zag schijnen uit het raam bij Frieda.

'Als-je-me-nou,' zei Lionel 's anderendaags, toen hij zoals beloofd in de late namiddag bij Jeannetje langskwam.

'Als-je-me-nou, nu loop ik al de hele dag zonder identiteitskaart rond,' sjokte hij door de voordeur.

'Er zijn mensen die een heel leven zonder identiteit rondlopen,' repliceerde Jeannetje.

Ze reden naar de meubelhallen en kochten daar een tafel, ongeveer dezelfde als die, die door zijn poot sloeg. Zesduizend. Cash. Wie dat kan, is toch een gegoede burger zeker?

'Fijn,' zei Jeannetje, 'ge zijt een man van uw woord.'

En zo had ze zich een vriend gevonden, die weliswaar weinig bleef overnachten maar die toch regelmatig overvloog en haar voldoening gaf, vooral als hij bleef eten. Om van de centen maar te zwijgen. Hun relatie groeide, als mos in een donker bos. Ze zag het wel zitten, ons Jeannetje. Lionel minder...

'Je kunt beter niet bij mij aan huis komen,' zei hij, 'mijn moeder is al oud en ze zou het besterven, als ze wist dat ik...'

'Een lief heb,' vulde Jeannetje aan.

'Klopt,' zei Lionel.

Frieda maakte Jeannetje nerveus en zenuwachtig en ongerust.

'Hoe kunt ge zo bestaan, Jeannetje,' zei ze verontwaardigd, 'ge moet en zult die moeder zien, anders weet ge nooit of het waarheid is. Over dat oud mens en zo, misschien is hij wel gehuwd!'

Twijfel sloeg in Jeannetjes *mind* en vertakte zich in haar *body* en tussen de plooien van haar *bodice.* Ze kreeg er de krieuwels van. Haar handen jeukten, haar voeten ook. Het andere dit keer niet. Met een gehuwde man wou ze niet. Ze wou geen scherven lijmen, van een gebroken pot nat...

Goed. Kordaat besluit.

Jeannetje ging op stap. Naar de Vreugdestraat. Nummer? Eén.

Daar stond geen huis dat naar dat nummer lachte. De kerk, drie, vijf en de pare nummers aan de overkant. Ongelukkig drentelde Jeannetje over en weer. Ha, ze zou het aan de slager op de hoek vragen. Lionel beschreven.

'Och, ja, Lionel, die bij zijn oude moeder woont! Dat moet daar ongeveer het derde huis zijn. Kijk, dat daar met die rode bakstenen en die wit geverfde deur.'

'Dank u wel, meneer,' zei Jeannetje opgelucht. Ze had zich van huisnummer vergist! En ze liep en draalde rond de woning. Zou ze aanbellen, met een smoes? Gordijnen werden onverhoeds weggeschoven. Een oud verweerd gezicht verscheen tussen de fijne plooien. Kin omhoog gesnokt:

'Ewel, wat staat gij daar te gapen?'

'Lionel,' sprak Jeannetje, duidelijk articulerend in drie shiften.

Gordijn neer, deur open. Een klein gesmolten vrouwtje in de aanval.

'En waarom moet gij mijn Lionel zien? Heeft uw dochter misschien ook een kind van hem? Is één proces voor verkrachting dan al niet genoeg geweest?' kraste een dunne vioolsnaarstem.

Jeannetje kromp petieterig. Ze viel op haar poten als een mug.

'Neen, mevrouw,' zei ze, 'ik kwam alleen langs om te zien, of ze hem nu met rust laten. Kan ik even binnenkomen?'

'Ja, maar niet te lang.'

Die kleine teef was daar toch van gediend geweest... Bla, bla, bla, bla, bla.

Pardaf. Waratje, warempel. Lionel en een zestienjarige schoonheid. Van in de patronage, waar Lionel jaren de kantine openhield. Gratis en voor niks anders dan om in de gratie van de kerk te blijven. Verkracht achter de toonbank. Zei ze.

Het zou me wat. Hopen geld had hij dat kreng gegeven. Kleren gekocht. Haar ouders waren op de hoogte en dan naar de politie lopen en vertellen dat ze door zo'n brave jongen, die tot zijn achtendertigste bij zijn moeder woont, werd verkracht. Twee jaar voorwaardelijk. De zotten. Waar zij, die *Miss Prei* en *Miss Bloemkool* tegelijkertijd, met haar lange benen en wullige boezem, er aardig door gediend was geweest. De onnozelaar. Zo zijn hoofd op hol laten brengen...

'Ik moet gaan,' zei Jeannetje, 'vertel Lionel dat ik hier was. Vertel hem dat Jeannetje langskwam.'

'Jeannetje?' vroeg de oude vrouw. 'Van de rechtbank?'

'Onder andere,' zei Jeannetje.

Als een *ghostbuster* liep ze naar huis.

En Jeannetje wou verder alleen door het leven gaan, had ze beslist. Ze zou zich door die klotemannen niet meer in de luren laten leggen. En misschien leerde men de liefde wel kennen op een ogenblik dat men er helemaal niet op voorzien was.

Met het vorderen van de jaren maakte ze zich niet veel illusies meer. De meeste mannen zijn immers van oordeel dat elke vrouw eens boven de vijfenveertig afgeschreven is. Ze kon moeilijk naakt over straat lopen om te bewijzen dat haar lichaam nog niets van zijn streken kwijt was; ook al had ze kinderen gehad en ook al had ze hard gewerkt. Daar blijft een mens lenig van. Er stond Jeannetje niks anders te doen dan opnieuw op zoek te gaan naar gezelschap om de eenzaamheid van de lange dagen te verdrijven. Neen, neen, we raden verkeerd. Niet naar het Casino, maar in de wandelclub. Die van de *Mijl op Zevengangers*, waar ze haar nieuwe, huidige vriend ontmoette, die zojuist zei:

'Wij en niemand anders!'

Jeannetje is bang. Ze heeft hem al bijna een jaar. Ze houdt van hem. Hij is ouder, maar hij vrijt goed en vaak. Hij laat haar krollen van geneugte, lichamelijk en geestelijk. Hij woont bij haar in. Meestal toch. Hij mag niet gaan. Ze zou het besterven.

En ze neemt hem in haar armen, ze wrijft waar ze het moet en hop, daar gaan we weer.

'Mijn barometerke,' zegt haar vriend.

'Mijn thermometerke,' zegt Jeannetje.

'Ge vrijt zoals ge eet,' zegt hij.

'Is dat een compliment?' waagt ze.

'Bekijk het maar,' zegt hij, 'ge doet alles veel te vlug.'

Ze kan niet in zijn ogen kijken, want het is donker. Ze ziet de uitdrukking op zijn gezicht niet. Het prototypegezicht van de ouder wordende man, afgeleid van een hele hoop exemplaren uit het tijdschrift voor de derde leeftijd.

Precies een wagen die voor de laatste keer naar de keuring moet, om te weten of hij nog in vol verkeer kan meedraaien en of de stabiliteit op de grond nog veilig is. Waarvoor die passie, vroeg hij zich af en hij voelde zich als de teerling die net in de bak gegooid – op het ogenblik van de worp – nog niet weet of hij zal verliezen of winnen.

Waarom trek ik me op mijn leeftijd nog al die moeilijkheden met haar vader aan? En met die rotjongens? Och, kom nu, vrouwen zonder problemen zijn er niet... Hij staart naar de gesloten deur, toegangspoort naar de vrijheid. Naar een wandelweg, zonder al te veel hindernissen. En met stopplaatsen.

Zijn sterrenbeeld is de weegschaal; bijna de hele nacht laat hij zijn gedachten op de bascule liggen, het ene tegen het andere afwegend. Terwijl buiten de stuitwind de Beaufortschaal de hoogte injaagt. Zelfs die is wauw.

En de grote schaal stijgt, die waar Jeannetje opligt. Het zijn de zwarte zware gedachten die de puntnaald laten schommelen en doen doorslaan, naar de kant van het vrijgezellenleven dat zich op de kleine waag afpondt. Zijn gepieker ligt te wiebelen op de centesimaalbalans; hij weegt zijn eigen toekomst.

Hij zat toch gemakkelijk, in zijn kleine flat. Denkt hij. *Base...*

Zonder seks leven gaat, als de darmen maar geleegd zijn, weet hij. Nog lager schokt de schaal... *Down...*

De buurhond blaft. De balans wordt een snelweger die overhelt. Er moeten nog een paar weegstenen bij: 'Die uit nummer twintig komt thuis. Hij komt en gaat als hij dat wil, hij is alleen! Gemakkelijk, niemand verantwoording moeten afleggen,' besluit het patriarchaat, dat eigen prebende int. *Sunk low.*

Climbing-speed...

Precies op dat ogenblik staan de twee wijzers van de klok samenhorig op middernacht. Als twee handen die zich in gebed richten naar de hemel waar de Almachtige Computer misschien een antwoord geeft. Als maar op de juiste toets gedrukt wordt.

'Wakker worden, Jeannetje! Er dreigt gevaar!' zouden we wel willen roepen en al deden we het, ze zou ons niet horen...

Want ze slaapt zo vast als een huis, dat van Morpheus. Haar vriend niet, die ligt zich af te waken. Hij tart en weegt nog even na...

Zijn zwarte gedachten worden grijs. Hij wikt het gewichtsverschil. Hij zou haar missen, dat wel. Maar kom, het leven is al kort genoeg. En zijn dagen worden te strak, om nog uitgerokken te worden door onoplosbare problemen. Het juk slaat door, de handen van de weegschaal wachten op het verdict.

Morgen, als ze om boodschappen gaat naar de supermarkt en daarna naar haar vader, zal hij het huis verlaten, met stille trom. Hij zal alles in een brief schrijven. Ja, dat zal hij doen. Dat lijkt hem de beste oplossing. Hij houdt niet van scènes en nog minder van hysterische verliefde vrouwen. Bah, al dat drama rond een romance. Op oud ijs vriest het licht. Zijn gedachten hebben zich afgewogen. Dat is opgelegd pandoer.

Zuchtend draait en keert hij, tot hij eindelijk in slaap sukkelt.

De nacht is doofstom.

De morgen kriekt. De haan kraait. Niet in Jeannetjes buurt, maar ergens op de boerenbuiten. Bachten-de-Kuupe.

Hij is eindelijk ingeslapen. Hij ronkt en snorkt als dat varken van dezelfde boerderij, waar die haan staat te kraaien.

Kukelekukelekuuu...

Jeannetje, de kip, zal binnen enkele ogenblikken van haar stok springen, de dag in. Want kippen zijn de domste schepsels die er rondlopen. Ze luisteren te veel naar de haan.

Ook al beseffen ze het niet. Ze hebben geen tijd.

Ze moeten eieren uitbroeden. Het zijn maar legkippen, of scharrelhennen.

5

Jeannetje bilboquetje

Jeannetje van Diependaele was zoals altijd rond acht uur opgestaan. Eerst had ze zich nog eens op haar andere zijde gedraaid en gekeken naar haar ronkende vriend. Kon die snurken! Zijn slaap ging gepaard met een snork- en blaasgeluid, recht uit de trompet van Harry James. Hij lag ineengedoken, met een mond die open en dicht ging, zijn knieën als een foetus opgetrokken.

Jeannetje werd ook embryo en ze schoof haar voeten tegen die van hem, waardoor hij – eventjes maar – stopte met ronken en de adem door zijn toeterlippen wegblies en ze voelde aan haar borsten. Het routine-morgengebaar. Precies of die 's nachts konden verdwijnen.

De zwarte wijzers op het witte wekkertje – van bij de Prijsbreker – wezen halfacht of daaromtrent, want in het halfduister was het moeilijk dat nauwkeurig vast te stellen. Maar haar ingebouwde klok was er nooit ver naast.

Ze koesterde zich nog een halfuurtje of daaromtrent tegen het warme lijf van haar vriend en minnaar. Zijn gesnurk was een weldaad. Ze luisterde met overgave naar het op en neer dreunen van zijn ademhaling. Het was goed de warmte van een lichaam naast zich te voelen. Jeannetje kon de dag vredig beginnen.

Haar borsten waren er nog, haar broek was droog. De rode brigade was nog niet op bezoek. Haar ogen waren open, haar gedachten helder en klaar. Ze begon hevig te transpireren. Het zweet barstte uit alle poriën van haar huid. Jeannetje had een heel bijzondere lichaamsgeur.

'Sexy,' noemde haar vriend die geur.

En Jeannetje wou sexy zijn. Het was een heerlijk gevoel als sexy beschouwd te worden, ook al wist je dat het niet werkelijk zo was.

'Ik ben uitgeslapen, want ik zweet,' zei ze in zichzelf en daar was ze tevreden over. Want ook over het gevoel van uitgeslapen zijn had ze een ingebouwde radar. Geen zweet bij het ontwaken, betekende niet uitgeslapen zijn en dan stapte ze uit bed met een varkenskop. Dan was haar dag om zeep.

Want stel dat ze om die reden op zichzelf zou lopen sakkeren en vloeken en mopperen:

'Verdomme, mijn dag is naar de kloten, nu loop ik de dag door met die ellendige varkenskop!' dan zou haar vriend en minnaar door dat gevloek en gemopper ook wakker worden en niet uitgeslapen zijn. Dan zou hij ook vloeken en roepen:

'Mens, wat vloekt gij daar toch allemaal? Laat mij toch slapen!'

Hij zou dan ook met een varkenskop lopen en de ganse dag staan zeuren:

'Verdomme, Jeannetje, door uw schuld is mijn dag naar de kloten, want ik ben niet uitgeslapen.' En om dat te vermijden, zweeg Jeannetje als ze niet uitgeslapen wakker werd en zuchtte ze in zichzelf:

'Verdomme, nu ben ik te vroeg wakker en zal ik de ganse dag met de kop van een varken rondlopen!'

Maar die bewuste dag had ze al het opgeslagen nachtvocht hevig kunnen laten uitbreken en was ze uitgeslapen en had ze geen varkenskop.

Om acht uur of daaromtrent stak ze haar voeten uit het warme nest, trok haar twee zwarte pantoffels aan, nam haar ochtendjas van het voeteneinde van het bed en stak de blote armen in de mouwen. Stilletjes liep ze naar de keuken. De slaapkamerdeur trok ze heel voorzichtig in het slot. In haar keukentje ging ze naar het tafeltje – grijs geverfd met rood, sigaretteproof bovenblad – en ze scharrelde in de rieten mand naar een blaadje en naar haar pakje tabak om zich een stokje te rollen: een hobbelig bultig opgepropt ding, de naam sigaret onwaardig. Een bocheljoen-sigaret.

Het rookte, dat was dan ook alles. Aan smoren was Jeannetje verslaafd. Een mosslaafje was ze. Ze kon het niet laten en trok de rook in, tot die in haar tenen liep. Want daar voelde ze het tintelen. Ze wou er niet bij stilstaan dat haar longen er moesten uitzien als twee binnenbanden van een fiets. Bruin. Bruine binnenbandlongen, door groene tabaksbladeren!

Er zijn geen woorden om de intensiteit van haar rokerswelbehagen van de eerste sigaret – op de nuchtere maag – te beschrijven. En vroeger goot Jeannetje daar nog een pils bovenop: haar glazen boterham, zoals ze het noemde. Omdat ze het drinken definitief afgezworen had, at ze na de sigaret een boterhammetje met viervruchten-confituur. Van *Materne*. Maar eerst kwam de sigaret! Daar viel niet aan te tornen.

Jeannetje inhaleerde de rookpluim, liet die door haar neusgaten kruipen, kneep de lippen op elkaar en zoog kracht uit de tabak, die stonk naar parfum van het onderste knoopsgat. Van laag niveau. Tabacalogieniveau.

Ze proefde het zelfmoordgenoegen zich naar de bliksem te mogen helpen. De slogan *'Kom op tegen kanker'* was aan haar niet besteed. Wat zeg ik, slecht besteed. De rotte-appel-campagne negeerde ze bewust. Ze lustte geen appels.

'Ik ben een freak,' zei ze, ' een sigarettenfreak!'

Ze trok de zware overgordijnen open. Ze zag dat de straat er nog altijd grijs – op zijn Vlaams – bijlag en dat in het parkje voor haar raam nog altijd zes bomen stonden. Lindebomen. Er was er geen omgewaaid of afgebroken, ook al had het die nacht zwaar gestormd. Alleen hoge bomen vangen veel wind.

'Twee, vier, zes,' zei Jeannetje als ze de bomen telde. En dat zei ze elke morgen als ze het plantsoentje overzag. Twee, vier, zes. Jeannetje telde alles. Per twee, van kindsbeen af. De kinderen in haar klas, twee op een bank, vijf banken na elkaar. Er stonden altijd vijf banken na elkaar, ook al waren er niet zoveel nodig. Dat betekende dat er tien leerlingen per rij konden zitten. De middenrij had er ook vijf en de buitenrij ook. Normaal berekend konden daar dan dertig kinderen geteld worden.

Jeannetje wist bij het begin van de lesdag al wie er afwezig was. Nog voor de leerkracht het zag.

'Lowietje is er vandaag niet, zie ik,' zei Jeannetje in zichzelf als ze aan het tellen sloeg. Of:

'Lucie zal weer een snotverkoudheid hebben.' En ook nog:

'Kamiel zal wel weer de koeien moeten melken.'

Toen de een of andere minister van onderwijs besloot de boel te moderniseren en te democratiseren, en de banken dus een andere verplichte opstelling kregen, bleef ze tellen. Daar zou geen minister verandering in brengen. Banken kunnen naar willekeur worden verplaatst, maar met gedachten is het niet zo eenvoudig. Die zijn vrij.

'De gedachten zijn vrij, wie raadt ze daarbinnen?' was Jeannetjes voornaamste lijfspreuk.

En verder telde Jeannetje in haar kinderlijke overmoed en met een nijdige vastberadenheid en met de bescheiden rekenkundige talenten waarover ze beschikte, alles in de klas. Want dat was haar leefwereld. Daar kon ze zichzelf zijn, ten voeten uit.

De klassen telde ze per graad. Zo deed ze er vier, in totaal dus acht klassen. Ziezo, Jeannetje was tevreden.

De klassen hadden vensterbanken. En daarop stonden planten. Twee vrouwetongen, twee vrouwetongen, twee cactussen, twee dikke brede cactussen, een addertong, een *Bryophyta* – met naamkaartje in de pot geprikt – en een papyrusplant. Planten die niet om groene vingers vroegen en die konden zwijgen.

Jeannetje had de telfobie. Haar schriften, haar boeken, de potloden, de gom, de lat, enzovoort, enzovoort, zovoort en zo verder, werden elke dag nauwkeurig geteld. En was het eindgetal oneven, dan rekende ze er haar zakdoek bij.

O wee, als ze die vergat want dan telde ze er de leerkracht bij! En daar ging ze weer: twee ogen, twee oren, een neus, een mond, twee armen, twee benen, twee voeten, een spl... of een l... Neen, neen, toen dacht Jeannetje nog niet aan die lichaamsdelen, dat zou pas later komen.

We zijn nu al later, veel later.

Jeannetje is de halve eeuw al overgewaaid. Daar zat ze opnieuw met een oneven getal! En daarom voelde ze zich de laatste tijd minder goed in haar vel, dacht ze. Maar die morgen om acht uur, toen ze uitgeslapen door het raam keek en de bomen telde op het gazon en de kinderen op de straat die naar school liepen met de boekentas op de rug, inhaleerde ze opgewekt de rook van haar tabak-sigaret-gedrocht. Haar molen zou evenwel niet lang door de vang lopen, want Jeannetje zou een lastige dag krijgen!

Ze begon aan de afwas van de vorige avond want na het souper deed ze geen slag meer. Dan spande ze de luiaardsboog en keek ze televisie. Boffen. Zwijnen. Basta.

'Het stinkt hier in de keuken,' zei haar vriend, 'de afwas wacht.'

'Wie het niet snuiven kan, wast zelf maar af,' zei Jeannetje, want dat was ze aan het leren: 'Neen,' zeggen. Uitdrukkelijk: 'Neen.'

Ze had in haar leven te dikwijls tegen haar zin moeten knikken, zoals het negertje op de toonbank bij de winkelier indertijd deed als er een muntstuk voor de missies inviel...

Dat vond Jeannetje een *emballage* voor een bedenkelijke levensfilosofie. En dat geval van die televisie hield uiteindelijk hetzelfde in. Dat besefte ze ook. Daar zat men evengoed door een hennepen venster te kijken als men alles slikte...

Jeannetje en haar vriend hadden soms van die prachtige dialogen.

'Telefoon,' zei haar vriend altijd, als die rinkelde.

'Dat hoor ik,' zei Jeannetje dan.

'Zeker weer de een of de andere zeikerd,' zei haar vriend.

'Voor u zijn het allemaal zeikerds,' sprak ze en meer dan eens gebeurde het dat ze bij het opnemen zei:

'Hallo, met zeikerd,' want Jeannetje kon verstrooid zijn.

'Minder roken zou ook mogen,' zei haar vriend. 'Zijt ge al om mijn sigaretten geweest?'

'Ja,' sprak Jeannetje, 'maar ik heb ze in de winkel laten liggen.' Met een gezicht, strak als een fokkemast!

Maar afgezien van al die onbenulligheden konden ze best met elkaar overweg. Het is stil waar het nooit waait. Hij hield van voetbal en zij van tennis. Een bal blijft tenslotte rond. En allebei deden ze voettochten, naar het centrum van de stad, als het moest. Voettocht naar de Koornmarkt, heen en terug. Zes kilometer in totaal. Jeannetje was best tevreden met haar leven en haar vriend, best tevreden.

'Content,' zei ze.

Het best schoten ze met elkaar op als hij sliep tot het middaguur. Zoals nu.

De afwas klaar en een verse sigaret tussen de lippen, begon ze te stofzuigen. Wat kon die tweedehandse stofzuiger het stof opnemen en weer uitblazen! Ze zoog ermee zo vlug als maar kon. Dat ding kon lawaaien als een drilboor.

Daarna deed ze met een geladderde panty het stof van het meubilair. Van de barkast, van de televisie – statisch geladen –, van de stereoketen, van de stoelpoten.

Geen plukje was er nog te bespeuren. Plukloos werd de flat.

Inmiddels was het negen uur. Een uur na achten.

Jeannetje zette water op het gasfornuis. Ze nam een van de achterste branders, want de twee voorste waren moeilijk te bedienen: ze hadden hun draaiknop verloren.

In haar blootje begon ze zich aan de gootsteen in een rode plasticteil te wassen. Het hete water bezorgde haar rillingen van de kou. Met tegenzin poetste ze haar tanden, want dan kon ze niet roken. Kijkend in de kleine ronde spiegel – van bij de Prijsbreker – telde ze haar grijze haren. Daarbij schold ze zichzelf binnensmonds de huid vol.

'Wie telt nu zijn grijze haren?'

En bovendien zag ze er vijf; geen zes, geen vier, maar vijf!

Belachelijk! Want van zichzelf de huid vol te schelden had ze ook genoeg.

'Wie niet van zichzelf houdt, kan ook niet van anderen houden,' had ze na talrijke afgesprongen relaties uitgemaakt. Ze was er de tel bij kwijtgeraakt. En daar ging ze in de kleren die rond haar lijf spanden tegen de verdrukking in. De laatste tijd had ze moeite bij de keuze van haar kledij. Het klimaat van de gematigde luchtstreek was daar medeplichtig aan. Jeannetje dacht die morgen om halftien – het werd een half uur later: Zal de mist klaren? En ook: Zullen die wolken wel overdrijven?

Aan de mode had ze lak. Geen aasje kon haar dat nog schelen. Haar mannequinmaten waren toch de pijp uit. Daarna zette ze koffie op de ouderwetse manier. Cichorei gebruikte ze niet meer, omdat haar hartje dan zo raar ging slaan, van boem boem boem boem. Niks te rikketikken.

Zout en cacao erbij was haar te veel moeite, want Jeannetje had stilaan de pest aan de keuken.

De koffie klaar – rechtstreeks opgegoten in de thermos – liep ze naar de voordeur. De krant en een rekening lagen op de kille grond. De factuur ging op de kast, die zou ze later wel inkijken en nog veel later betalen. In het dagblad dat ze voor haar vriend op tafel legde, las ze alleen de voorpagina. De advertenties zou ze vanavond lezen. Want Jeannetje was op zoek naar een *moonlight-job*, een bijverdienste om de Himalaya aan schuldsaldo's af te lossen.

Want haar vriend was, wat de financiën betreft, *steeg van afgang*. Jeannetje kon daarvoor alleen op zichzelf vertrouwen. Daarbij: ze hield aan haar onafhankelijkheid. Zelfstandig Jeannetje. Ze had te dikwijls als een mug rond de kaars gevlogen!

Jammer, want ze redeneerde foutief. Dom Jeannetje. Jeannetje toch... verkeerd! De sinaasappelen in haar fruitmand dachten wél juist, want de ene fluisterde tot de andere:

'We zijn de laatste twee en ze zal hem weer fruitsap geven. Ze zal ons over haar plastic fruitduwertje persen om het bloed uit onze vezels te trekken. Om haar vriend van vitaminekes C te voorzien.'

'De ros,' fluisterde de andere.

Fout aan de ene kant en juist aan de andere kant. Want Jeannetje is niet ros, ze is zwartharig. Maar ze nam inderdaad de laatste twee sinaasappelen en sneed die middendoor. Twee en twee is vier. Jeannetje neep het vruchtvlees tot op de draad leeg.

Het oranje sap goot ze in een whiskyglas; ze zette het naast de krant. De thermoskan erbij, een kopje, een schoteltje, twee klontjes suiker *Tirlemont* en een roommelkje. Ha, het lepeltje. Om te roeren. Half elf.

Jeannetje van Diependaele bekeek zichzelf nog eens onderzoekend in de spiegel. Verdomd, die moest ze ook nog reinigen, want daar lag een laag vet op, van de nicotine. Uit de kast onder de gootsteen nam ze het verstuivertje-onmiddellijk-zo-gebeurd-reinigertje en ze sproeide. Met een fijn tissuetje wreef ze het weerkaatsende oppervlakteke schoon. Nu kon ze beter haar grijze haren tellen; haha, bij de rechterslaap zat er nog één. Jeannetje was tevreden.

Ze nam een blad papier en een balpen en ze schreef:

'Schat, ik ben om boodschappen. Tot straks. Alles staat klaar: sap, de koffie en het dagblad! Jeannetje. ++'

De kruisjes waren twee zoenen, de boodschap was voor haar vriend en het dagblad stond niet, dat lag plat als een verdekt.

Ze zocht haar sleutels. Natuurlijk, die staken nog in de zak van haar andere jas.

Jeannetje wist niet, dat op hetzelfde ogenblik dat zij naar haar sleutels zocht een andere vrouw – deze schrijfster – ook aan het zoeken was: wanhopig op zoek naar een structuur voor deze roman. Ik liep ook te sakkeren, omdat ik de juiste gietvorm niet zag. Omdat ik de woorden voor mijn onderwerp niet vond en de draai die ik aan de opgave wilde geven, de opgave die luidt: 'Incest'.

Incest, het woord is gevallen als een donderslag. Vadertje liefhebben en vadertje haten. En daar wist ons Jeannetje nu toevallig alles over. Heeft ze mij verteld. En even toevallig dacht ze – op hetzelfde ogenblik dat ik aan mijn eigen vader dacht – aan de oude man die in het rusthuis op haar zat te wachten. Want met hem wist je nooit. Hij kon je doen kijken als een snoek op zolder.

Inderdaad, het zou een drukke dag worden en geen prettige.

Het regende op het parapludak van haar geitje waarmee ze naar de supermarkt reed: van tik tik tik tik. Vier keer. Even. Goed weer, dacht Jeannetje en ze schakelde over in de verkeerde versnelling.

Wat ben ik toch een bilboquetje, dacht Jeannetje.

6

De scheidsrechter

Ge ziet door uw keukenraam de grijze hemel en ge kijkt naar de afgewaaide verdwaalde bladeren van de zes bomen die op het gazon voor uw huis staan. Ge hoort het geblaf van de buurhond die ze in zijn kot steken en ge zet u achter uw computer, waar het scherm zwart blijft, omdat ge geen woorden vindt om uw gevoel te uiten. Ge legt uw handen samengevouwen, wachtend in uw schoot.

Ge denkt. Ge voelt. Ge twijfelt.

Ge zoudt al uw schrijfsels aan uw vriend willen laten lezen, omdat ge met die eeuwige twijfel zit of ge wel kunt schrijven. Want de ene zei: 'Ge doet mij aan Boontje denken' en de andere zei: 'Ge schrijft als puntje bij paaltje komt een beetje als Bukowski'. En dan was er nog een derde die zei: 'Ge doet me aan Pleysier denken!' Over Baete spraken ze helemaal niet, dacht ge en ge schrijft niet zoals zij, ge schrijft zoals gij. Ge weet dat het zo is en niet anders, want ge voelt u maar zo'n klein schrijverke die vele jaren verloor door niets te lezen. Ge werd een ruiter zonder paard. En telkens de twijfel toesloeg of het nog wel de moeite is dat ge al die woorden op papier zet, was uw vriend er voor raad. Maar hij is het afgetrapt.

'Met een vrouw die altijd zit te schrijven, kan ik niks doen,' zei hij en hij had nog gelijk ook. Ge stond voor de keuze: uw vriend of uw schrijven.

'Ik kan niet anders,' hebt ge gezegd. 'Begrijp dat toch!'

'Ik begrijp dat,' zei hij, 'maar daarom moet ik het nog niet aanvaarden!'

'Wie zijn achterste brandt, moet op de blaren zitten,' zei grootmoeder, maar dat doet verdomme pijn! Zelfs in dat hoekske met een boekske. En dus kunt ge aan niemand vragen:

'Toe, lees eens?'

Ge had nochtans een nieuwe slogan voor het liefdespaartje ontdekt: 'Liefde is... boeken voor haar lezen.' Want hij las de boeken die gij zogezegd zoudt moeten lezen om bij te blijven en dan vertelde hij ze aan u. Ge hebt hem waarschijnlijk te veel doen lezen. En hem te weinig toegelaten in uw hersenkronkels en in uw lijf. Ge hebt hem te weinig tijd geschonken, zoals ge er te weinig aan uw huis geeft.

'Ge zoudt hier de boel wel eens mogen opruimen of u iemand nemen,' zei hij nog, voor hij definitief de deur achter zich sloot.

'Daar heb ik het geld niet voor,' hebt ge toen gezegd en ge typte verder aan de zin waar ge mee bezig waart.

En ge dacht, ge huilde bijna, het trok allemaal samen in uw lijf dat schreeuwde binnenin: als ge werkelijk van me hield, als ik echt de enige was die telde, dan zoudt ge mij helpen. Was het niet financieel, dan toch met twee handen die ook een stofzuiger kunnen duwen. Of borden wassen en ruiten zemen en strijken. Neen, dat strijken zou niet kunnen...

Hoewel hij zei dat ze in het leger alles moesten doen.

Zelfs naaien.

En ge voelt u al wat opgeluchter omdat ge voor het boek gekozen hebt. Zodat die blaren op uw achterwerk krimpen en minder steken, want ge weet nu zeker wat ge bezit: gedeukte waterblaren en hartzeer.

En een beetje *regret* omdat ge blind waart voor de waarheid, die als een koe zo groot in uw bed lag. Het was kiezen of delen. Ge zijt de Rubicon overgetrokken. *Alea jacta est.* Ge hebt de liefde voor het woord gekozen. Het schrijverschap, de ontdekkingstocht langs onbekende paden. De zoektocht naar datgene wat ge zijt vergeten, maar er altijd was, in uw onderbewustzijn. De onzekerheid zal blijven, maar misschien is het wel goed dat ge zo sterk aan uzelf twijfelt. Maar opgeven doet ge niet, vanzeleven niet.

Vanzeleven? Is dat nu een term om te gebruiken? Het kan niet anders dan dat ze van u zullen blijven beweren dat ge anders schrijft.

'De ballen!'

Want ook dat hebt ge geleerd: dat ze zeggen wat ze willen, ge schrijft zoals gij het denkt, en niet volgens het boekje.

Welk boekje? Nergens, maar dan ook nergens staat een kant-en-klare handleiding hoe ge schrijver kunt worden. Bij elk onderwerp past er een nieuwe, andere taal. En haat en liefde liggen soms zo dicht bijeen. Hoe legt ge dat dan uit? Zelfs al had ge uw zeshonderd boeken nog die de veilingmeester ooit zo grandioos op de rommelmarkt gooide, het zou nog niet vanzelf gaan. Want toen waart ge met een gebroken nek en een gebroken leven in het ziekenhuis opgenomen, elf maanden lang, en het enige woord dat u toen interesseerde was 'aai'.

En nu ge hier weer loopt te paraderen – wat een hoerenchance hebt ge gehad – kunt ge het nog niet. Maar ge wilt het, ge eist het: woorden die uit uw ziel komen. Ge hebt uzelf verkocht. Voor een appel en een ei; aan woorden. En daarom hebt ge voor die vriend niet gekozen.

Hij heeft een ander lied in zijn hart. Meer op zijn Glenn Millers. *Big Mac Band Music.* Met cymbalen, klarinetten, trompetten en pauken op brede trommen. Peter en de Wolf in grootvadersstijl.

Ge wilt een boek maken met een boodschap in, over incest nondedju dan nog. Want ge wilt aantonen dat er uiteindelijk geen slachtoffer en geen dader is, maar twee slachtoffers. Eigenlijk veel liefdeloze dutsen. Omdat onze maatschappij zo in elkaar steekt en omdat het daarin is dat we leven. Ge zult dat boek aan Jeannetje laten lezen. Ge zult haar ermee troosten. Want met incest heeft ze zich nog lang niet verzoend, ook al zegt ze u van wel.

En misschien kan die neurotische toestand van Anne haar wel doen inzien dat er tenslotte niets anders overblijft dan vergiffenis. En vergeten. Dat de wereld nu eenmaal is, zoals ze is. In verbitterde, verdichte, verzande grond kan geen enkele bloem blijven leven.

Uw personage zal Anne heten. Alleen uw onderbewustzijn weet waarom. Maar Anne wordt haar naam en haar man Gerrit, omdat ge Gerard zo ouderwets vindt. Anne is het slachtoffer van incest en ze draagt daar de sporen van. Ze kan niet echt liefhebben, ze verdort van binnen. Ze kan niet afrekenen met het verleden. Ze verlaat haar man en kind, gaat alleen wonen en het is de bedoeling dat ze zich zal wreken. Het plan om haar vader te vermoorden, woekert in haar geest. Dat is het geraamte van het boek dat ge over incest wilt schrijven.

Ge zult niet in alle details beschrijven hoe haar vader zich aan haar vergreep, want dan wordt het zo lullig en het is trouwens van ondergeschikt belang hoe en wanneer hij het deed. En dat de sfeer in Annes huis hard en koud was, speelt geen rol, want waar alles goed gaat, komt incest ook voor.

Ge hebt er ooit eens een gedicht over geschreven...

Om in de stemming te komen, voor ge met die historie over Anne begint, herleest ge het nog eens en nu zegt ge het ook luidop, om te horen of ge wel alles meende, wat ge geschreven hebt.

Ge begint eerst aarzelend en de woorden komen moeilijk naar buiten.

'Vader,' zegt ge en de haren staan al recht op uw armen. Ge wrijft er eens over, ge vermant u en ge berispt uzelf omdat ge zo gevoelig zijt, en ge doet verder. Het gaat al wat beter. Uw stem beeft niet meer.

'Vader,' herhaalt ge en ge dreunt uw tekst af. Ze hebben u vroeger eens in een voordrachtwedstrijd voor het Festival van Vlaanderen een gedicht laten schallen door een zaal die te hoog en te breed en te lang was voor uw kinderstem.

'Maria,' moest ge roepen, want ze verdronk.

En nu roept ge 'Vader'. En de rest wat stiller, want beneden horen ze alles.

De spiegel schrikt niet
van zijn beeltenis en
van zijn vele grijze haren.

Ge slikt. En ge doet verder.

Hij neemt de wind en 't onweer
in harde stappen mee,
gewaaid naar mij: het kind.

De rillingen lopen over uw rug.

Hij heeft het huis gebouwd
en vele ramen zwart geverfd
hij heeft zijn naam gekerfd.

Met een vlijmscherp mes!

Hij heeft een woord gelegd,
een naam van alle tijden:
'Vader, vader,' heb ik gezegd.

En hoe werd dat gezegd, geroepen, geschreeuwd, gefluisterd.

Hij laat de wereld spreken
en ook de mensenharten
die het zoveel beter weten.

Ge herhaalt: 'Die het zoveel beter weten'. Verdomme toch.

Daar blijft ge bij stilstaan. Uw handen op de knieën, uw blik op het scherm, waar de witte letters op de zwarte achtergrond schemeren, omdat uw ogen vol tranen staan. Want vooral dat laatste zinnetje spreekt u aan: 'Die het zoveel beter weten'.

Waar alleen Jeannetje en Anne het weten. Dat is niet uit te leggen. Een gevoel van opstand en berusting, verlatenheid en volheid. Omdat er te veel was. En te weinig. Omdat er tenslotte niets overbleef. Waar Jeannetje zoveel heeft gegeven. Een zot kan het raden.

Ge begint dan maar aan het verhaal over Anne. Vanuit uw hoedanigheid van schrijfster die moeite heeft de gepaste structuur in het verhaal te steken. En in de hoedanigheid van mens die in al zijn gespletenheid Jeannetje niet op die manier kan aanbieden. Omdat het een in het andere zal vloeien, automatisch, omdat er geen uitweg is. En uit dat trauma moet ge toch. Men zou er hoorndol kunnen van worden. De mens is geen steen of een stokvis. Ge kunt in alle twee niet bijten.

Het is werken en afzien. Het is op de toppen van de tenen, zoals Anna Pavlova in haar zwanedans – en die pointes doen pijn en moeten zo vaak vervangen worden – het gebeurde overzien en beheersen. En solo kwinkeleren op de maat van de levensbravoure-aria. Men gaat op reis door zichzelf, men breekt af, men bouwt op, breekt opnieuw af. Tot men ziet dat er van dat verleden niets meer recht staat. Maar dat vraagt tijd. Verleden tijd. Pas dan kunt ge beginnen schrijven.

Er zelfs uw vriend voor afstaan: zo ver gaat ge; omdat het nu is dat ge wilt leven en schrijven. Terwijl de regen en de wind tegen uw raam kletteren en het vuur staat te branden met veel te weinig blauwe vlammen en veel te veel gele, denkt ge: Stop.

Het wordt tijd dat ge u eens met wat anders bezighoudt dan met dat incestgeval en eens naar de winkel gaat om te vragen waarom dat vuur zo schijnheilig doet, alsof het al zijn krachten geeft, waar gij weet dat het met een slechte verbranding zit. En met uw vrouwelijk begrip hebt ge daar zo onmiddellijk geen oplossing voor. Hulp van een vakman is nodig.

En ge denkt al aan de dood door vergassing, terwijl ge nog maar juist begint te leven en te schrijven en ook probeert om een vakman te worden.

Door over incest te schrijven en de rest te laten waaien, wilt ge aan uzelf bewijzen dat ge dat gevoel van machteloosheid niet zoudt overwonnen hebben, waart ge niet wie ge nu zijt...

Een biefstuk in hoogsteigen persoon: dat is wat ge zijt; een gepelde, tweede keuze. Eén waar ze de vermalser hebben opgezet om hem te kunnen verkopen omdat hij van het taaiste vlees is dat er maar bestaat. Omdat ge te lang in dezelfde stal hebt gezeten, te veel hetzelfde gras hebt herkauwd met uw drie magen, te veel hebt moeten slikken. Dààrom weet ge waarom ge u nog altijd zo onbegrepen en eenzaam voelt, verward en wanhopig en waarom ge die vriend van u zo maar liet vertrekken. Omdat de verleden tijd pas voorbij zal zijn, als gij daar zelf schoon schip mee hebt gemaakt.

En in uw rol van schrijfster weet ge dat dit zal gebeuren door de dood. Is het niet van de ene, het zal van de andere zijn. Als mens hoopt ge dat het door die van de andere zal zijn.

Het is tijd om met dat verhaal over Anne te beginnen, terwijl Jeannetje in de supermarkt loopt. Maar dat wordt dan weer een andere geschiedenis. Want Jeannetje en Anne zijn zo verschillend van aard, als water en vuur. Het één moet het ander blussen... En wat Anne wil doen, daar mag Jeannetje nog niet aan denken. Of ze verschroeit. En wat Jeannetje doet, daar wil Anne niets mee te maken hebben. Ze zou te veel op een mens gaan lijken en niet meer op een personage. De ene hand weet beter niet wat de andere doet. Zo zal dat in uw boek ook moeten gaan. En gij zult tussen hen in staan. Als scheidsrechter. In het zwart, met witte kousen rond uw benen en een fluit in uw mond. Om de fouten te blazen.

7

Judas Peniscariot

Het kleine meisje was van donkerbruin een bijna zwartharige vrouw geworden. Ze droeg het haar kort en gelijk geknipt. Haar bruine ogen keken altijd verongelijkt. Rond haar mond trokken twee pijlboogjes naar omhoog: de gemaakte lach. Over de oorlog wist ze nog veel. Het stoorde haar. Over haar jeugd wist ze ook nog alles. Het hinderde haar. Daarom sprongen al haar relaties af en vrienden of vriendinnen had ze nooit gehad. Ze kende alleen Gerda. Van de zelfhulpgroep-incestslachtoffers.

Haar moeder zei vroeger altijd:

'Kind, waarom kun je geen man houden? Waarom zoek je geen vriendin om mee op te trekken?'

'Omdat ze vreemden blijven, moeder,' had ze willen zeggen.

'Omdat ze me aan vader doen denken,' had ze willen zeggen.

'Omdat ze me vrees aanjagen, moeder,' had ze willen zeggen.

Die verwijtende blik. Maar ze had gezwegen. En toch was ze uit het huis kunnen vluchten, door met Gerrit te huwen. Die woonde dichtbij, in haar straat. Hij had sluwe ogen en fijne vingers. Gouden handen had hij. Als een buitenstaander keek ze toe hoe hij alles opknapte, hoe hij brood bakte. Melkbrood. Dat kon zij niet. Ze had geen keukenhanden. Hij wel, hij had maniakhanden.

Ze had met hem een kind gekregen, Joris. Een ongewenst kind, dat bij toeval in haar eicel drong. Gerrit was trots op zijn prestatie. Net of hij weer een melkbrood gebakken had. Ze verbaasde zich over de manier waarop hij met het kind speelde, met hem door hoog, wild, dik gras liep, of achter een bal aan; hoe hij hem kietelde, knuffelde of hem op zijn schouders droeg. Het ging veel te vlot. Gerrit was een vaderfluitje van een cent. Dat was niet te vertrouwen. Dat klopte niet met zijn ogen. Daarachter zat sluwheid. Ze kon het niet verklaren, maar ze was er bang voor. Als een fret in de val... Zoals haar vader haar in een val had laten trappen. Angstig, beklemmend, pijnlijk en tergend. De dag zou komen dat ze het Gerrit zou zeggen, zoals ze het haar vader gezegd had:

'Je bent een bastaard. Met moeder kun je zoiets doen, maar niet meer met mij.'

Ze keek op. Ze zag haar wit tafellaken en ze streek het glad. Nog gladder. Ze zou het niet zo zeggen. Ze zou zeggen:

'Ik ga weg. Ik kan niet meer met je samenleven. En met Joris ook niet.'

'Ik ga weg voor altijd,' zou ze zeggen.

De hele avond wachtte ze. Het werd halftien. Gerrit kwam thuis. Hij gooide zijn aktentas naast de kast. Hij zag er vermoeid uit.

'Ik had weer zo'n vervelende en lange vergadering,' zei hij. Ze wist wel beter. Het zou wel weer die blondine geweest zijn, die hij eens op een avond had meegebracht. Het had haar niet veel kunnen schelen. Ze was apathisch voor zulke zaken. Veel woorden had ze er 's anderendaags niet aan vuil gemaakt.

'Je kunt doen wat je wilt,' zei ze, 'maar niet hier in huis.'

En sindsdien hield hij zich daaraan. Gerrit zat recht tegenover haar aan tafel. Ze zou het hem moeten vertellen. Niet dat van haar vader, niet die moordplannen die ze in haar achterhoofd had.

Gerrit las de krant. Hij zat achter het opengevouwen dagblad. Ze zag zijn vingers en de trouwring. Zijn gezicht zat verscholen achter de bladen. Ze was bang. Ze zweeg en streek het tafellaken glad. Ze herinnerde zich de tijd dat haar vader in de krant las. Toen ze nog niet met Gerrit was gehuwd. Toen Joris er nog niet was. Ze zag weer de eeltvingers aan weerskanten van het papier, dat in de lucht hing. Grijpvingers. Kneukelhanden. Witte kneukels. Handen die over haar lichaam wreven. Maar ze trok zich los, weg van die geniepige wroethanden.

'Ik ga weg,' zei ze rustig.

Gerrit keek op. Hij legde de krant opzij, lijkbleek. Hij vroeg niets. Zonder te kijken liep hij de kamer uit en ze hoorde het bed kraken. Hij had zich niet uitgekleed. Die nacht sliep ze op de sofa. Ze liet de overgordijnen open. Het maanlicht viel op de zetel en in de kamer. Ze zag de wijzer van de klok om de vijf minuten verspringen. De kleine om het uur. Tot het dag werd. Dan kroop ze recht. Ze zette koffie en nam een sigaret. Daarna liep ze naar boven en maakte Joris wakker.

'Het is tijd,' zei ze, 'de schoolbus wacht niet.'

Gerrit kwam de keuken binnen. Ze zaten al aan tafel en kauwden het melkbrood. In de deuropening bleef hij naar hen kijken.

'Ze zegt dat ze van ons weggaat,' zei hij tot de jongen.

Joris schrok. Hij was al twaalf. Hij keek van hem naar haar.

'Ik kan je niet meenemen, Joris,' zei ze.

De jongen liep naar zijn kamer. Anne vond hem daar. Ze nam hem in haar armen. Het kind spartelde tegen. Het huilde en zij ook. Gerrit stond in de deuropening toe te kijken. Hij kon niet zien, wie van de twee het meest verdriet had. Omdat er een floers rond zijn ogen lag. De deur hield hem recht. Zijn handen staken in zijn broekzakken. Hij slikte de stenen in zijn keel door. Hij hoestte. Anne staarde hem aan. Ze verliet de kamer. Joris vluchtte de vaderarmen in en huilde gejaagd, met schorre kreten. Toen werd het stil in huis. De schoolbus vertrok zonder het kind. Gerrit had de chauffeur teken gegeven, door te rijden.

De dag vorderde. Gerrit en Joris verlieten het huis. Anne ruimde voor de laatste keer op. In de late namiddag was ze klaar. Ze kon gaan. Gerrit bleef weg. Misschien wou hij geen afscheid. Of misschien dacht hij dat ze het niet zou doen, weggaan.

Anne verliet het huis. Ze had alleen het hoogst noodzakelijke mee.

'Ik kom later wel om de rest,' schreef ze op een briefje.

Het raam dat haar donker nakeek, was niet meer van haar. Ze liep door de straat. Het was late herfst. De bladeren lagen op het trottoir. De *bigshopper* in haar hand woog licht. Mussen zochten een plekje op de takken van de kastanjebomen. Op de straatstenen huppelde het klein gevleugeld geboefte door elkaar. Uit de eieren komen blote vogels die zo vlug mogelijk alleen moeten vliegen, dacht Anne.

Ze liep naar de flat van Gerda, de vriendin van de therapie-avonden. Die was onlangs ook bij haar man weggegaan.

Ze hadden het er laatst over gehad en Anne had gezegd:

'Ik ga ook van hem weg.'

'Waarom?' vroeg Gerda.

'Zomaar,' had ze geantwoord.

'Ik ken die zomaars,' zei Gerda, 'die lopen naakt en likken pikken. Dat zal bij jou niet anders in zijn werk zijn gegaan... Kom maar af, als je zover bent.'

Gerda woonde aan de andere kant van de stad. Dichtbij het rusthuis van Annes vader. Dat is geen stom toeval, had Anne gedacht, alles is voorbestemd. De vorige week had ze hem opgezocht. Hij had haar niet eens herkend. Hij had zitten drammen. Zoals vroeger. Geen haar was hij veranderd. Uiterlijk wel. Een oude afgeleefde seniele vent was hij geworden, die de seizoenen niet eens meer uit elkaar kon houden.

'Hij is eigenlijk nog te jong om die ziekte te hebben,' zei de directeur, 'waarschijnlijk heeft hij veel meegemaakt.'

Een stil verwijt omdat ze jaren niet naar hem had omgekeken, na de dood van haar moeder.

'Ik geloof dat hij daarmee geboren werd,' had ze geantwoord en het hoofd had haar scheef bekeken.

'Vroeger herinnerde hij zich ook maar wat hij onthouden wou,' had ze er nog zacht aan toegevoegd; een inwendige zin.

Ze zei nog meer. Alles wat ze dacht, zei ze. In zichzelf.

'Ik haat hem,' had ze gezegd, 'voor mij kan hij niet vlug genoeg dood zijn.'

Het licht brandde bij Gerda. Ze was thuis. Weinig meubels, veel vloer. Kussens in een hoek. Een staande lamp naast de kleine televisie.

'*My home*,' zei Gerda. Ze waaide een arm uit.

'Allemaal tweedehands of van vrienden die nog niet gescheiden zijn. Maar waar het nog niet is, daar moet het nog komen,' lachte ze. Gemaakt. Heftig. Verbitterd.

Annes gezicht stond strak en effen. Ze moest nog wennen aan het alleen zijn en aan de gedachte dat ze nooit normaal zou kunnen leven, voor haar vader dood was. En dan nog. Ze kreeg een spottende mondtrek, een kramp die klaarte bracht in haar gelaat.

'En Joris?' vroeg Gerda.

'Die is beter af bij Gerrit,' zei Anne.

'Ik dacht dat een kind beter bij de moeder blijft,' zei Gerda.

'Niet in mijn geval,' antwoordde Anne.

Gerda haalde ergens een klapzetel uit. Hij was van schuimrubber en had geen poten. De zijlussen losgehaakt, viel de zetel open. Op de grond, langs het raam. Achter Anne. Die keek naar buiten, naar de verte. Vage, verre huizen. Morgen zou ze naar hem toegaan. Haar maag vroeg om te kotsen.

'Waar is het toilet?'

'Een van de vier deuren,' zei Gerda. Ze was zich aan het uitkleden. Anne ketste de pot vol.

'Welterusten,' zei Gerda door de deur. Ze voegde eraan toe: 'Je blijft maar tot je een oplossing hebt.'

'Dank je,' probeerde Anne te zeggen. Tussen twee spuwbeurten in.

In het donker kleedde Anne zich ook uit. Ze hing haar kleren over een van de vier ongelijke stoelen.

Anne droomde die nacht. Ze liep door de wijk waar ze vroeger had gewoond, toen ze nog een kind was. Alles was er zoals toen. Dezelfde huizen, dezelfde ramen en daken. Ze droomde wit-zwart. Niemand herkende haar. Niemand zei haar naam. Ze liepen haar voorbij, als was ze er niet. Stap na stap naderde ze het huis. Het huis onder de zwarte bomen. Met een smal tuinhek dat kraste bij het openen. De grote treurwilg stond er ook. Ze liep naar de voordeur. Een zware, ouderwetse deur met een deurklopper. Een opengesperde roofdiermuil. Een gapende opening om je op te vreten. Anne sloop op de punten van haar tenen naar het hoge raam en gluurde naar binnen. Haar vingers schaafden zich aan de bouwstenen. Plotseling zag ze de kat op de vensterbank tussen de bloempotten. Die eeuwige sanseveria's. Het dier likte zich de poten met haar ruwe tong.

Badend in het zweet werd Anne wakker. Het was nog nacht. Ze rilde. Ze voelde kou op haar natte huid. Want achter de kat had ze haar vader zien staan. Naakt, naakt. Ze dwong zichzelf wakker te blijven, tot Gerda ontwaakte.

'Je hebt geroepen vannacht,' zei die.

'Ik heb gedroomd,' zei Anne.

'Dromen zijn bedrog,' vond Gerda.

'Niet altijd,' antwoordde Anne stil. Gerda lachte met een hese morgenstem.

'Zet eens een andere plaat op,' zei Gerda enkele dagen nadien. Waarmee ze bedoelde: praat niet altijd over die gek in het rusthuis en loop mij niet te lang voor de voeten, ik heb het ook alleen moeten doen. Teken aan de wand. '*Gods oog ziet ons*' hing niet voor niks boven de deur.

Anne vond een beluikhuisje in het centrum van de stad. Het deed haar denken aan de commode van haar grootmoeder, die ze bij Gerrit had staan. En die ze elke week met boenwas deed.

Eén na één kon je de schuiven opentrekken en ruiken aan het verleden. In het huisje was het ook zo, telkens je een deur opende. Elk kamertje had een doodsgeur, die was blijven hangen na de dood van de vorige bewoner. Hier had geen jeugd gewoond, dat rook ze. Jonge lichamen ruiken prikkelend zoet en zwoel en oude lijven stinken. Naar de dood, naar de aarde.

Ze kocht het hoogst noodzakelijke: een bed – met een muffe matras – een kast, een tafel en twee stoelen. Gerda gaf haar een paar lakens die vergeeld waren, een deken en een bloempot.

En de pomp trok water uit de grond. Op de markt haalde Anne enkele kopjes en een onvolledig bestek. Twintig frank voor drie kopjes en drie schoteltjes, kanariegeel. Vijftig voor het bestek: mat, versleten en met afgestompte vorken. Potten en pannen had ze niet nodig. En een vuur evenmin. Het was beter buitenshuis te eten en veel honger had ze toch niet. Het was alsof haar maag de inhoud moe was. Elke hap deed haar braken.

Het huisje was ongezellig en kouwelijk. Het zilt zat in de muren. Het kon Anne niet verdommen, wie zou er tenslotte bij haar op bezoek komen?

En ze had voorlopig geen zin om Joris te halen.

Ze had wel naar Gerrit gebeld en gevraagd hoe het moest met het alimentatiegeld en met de scheiding.

'Zorg eerst maar voor jezelf,' had die gezegd, 'daarna zien we wel.'

'Dank je, Gerrit,' had ze gestameld en de hoorn ingehaakt.

Het was vreemd bellen in een openbare cel. Ze had niet eens gevraagd hoe het met Joris was. Bij Gerrit was hij in goede handen. Ze moest ook zuinig zijn met haar spaargeld.

Arme Gerrit. Misschien had hij het anders met haar aan boord moeten leggen. Niet met die geniepige maniakale kunsthanden, zijn gelaat vlak boven dat van haar, zwetend en zijn baljaren als hij klaarkwam. Hanegekraai, noemde ze het. Ze kon zijn reuk niet hebben, zijn *after-shave* niet en zeker zijn okselgeur niet als ze onder hem lag. Klein, ineengedoken, haar smalle handen afwerend naar hem. Zo ver mogelijk van hem vandaan. Op de kant van het grote tweepersoonsbed. Ze verdwaalde in haar herinneringen, schrok op door het hamergeklop van een buur.

Het huisje met de dunne muren keek haar treurig aan. Zo'n zielepoot had er nog nooit gewoond.

Annes adem ging in en uit.

'Neen,' riep ze opeens. Hard, keihard. De aanval kwam op. Ze liep naar het bijkeukentje, kotste in de stenen gootsteen en pompte met ijskoud water de maaginhoud in het ronde gat.

Daar stond ze ruim een uur, haar blote voeten stonden als ijsblokken op de grond. Toen ging ze leeggespuwd naar bed, bang voor de droom die zou komen.

Hij kwam. Het was zomer. Ze zag voor het eerst de zee. Op een zonovergoten strand liep ze, aan de hand van haar moeder. Haar vlechten waaiden lekker rond haar gezicht en de haren van moeder waren blonder dan ooit. Er scheen fel licht op.

'Kom,' zei haar moeder, 'ga schelpjes zoeken. Ik blijf hier op je wachten.'

'Niet weggaan,' zei Anne. Ze liep langs de branding van de zee. Bij de golfbreker vond ze veel schelpjes, ronde, getande, ovale en diepe grote. Mooi...

'Mama, kijk eens!' riep ze.

Ze draaide zich naar de plaats waar moeder zat. Die was leeg. Anne stond alleen op een eindeloos zonovergoten strand. Moederziel alleen. Een klein meisje met waaiende vlechten en schelpjes in de hand. Witte. Blauwe lucht, geel zand en groene zee.

'Moeder?' riep ze, tegen het doffen van het water in...

De zee ruiste donker. De zee bonkte golfslagen in haar hoofd. Ze werd er klaarwakker van. Iemand klopte op de deur.

'God,' zei ze. Er was drie keer aangeklopt, hard en luid dreunend op het groen geverfde hout, alsof er ergens een alarm was. Op haar blote voeten en in nachtpon liep Anne naar de deur.

'Joris?'

Hij gaf haar een duw om naar binnen te lopen.

'Joris, weet papa dat je hier bent?'

'Moet dat dan?'

'Joris, wat gebeurt er?'

Anne zag hoe hij de handen in de zakken stak en schokschouderde, verloren. Een miniatuur-Gerrit.

'Papa zegt dat je je verstand kwijt bent. Dat het allemaal de schuld van die oude gek is.'

Joris begon te huilen.

'Hoe heb je mij gevonden?'

'Door Gerda.'

Anne drukte hem tegen zich aan. Ditmaal gaf Joris' lijf mee. Hij leek magerder geworden.

'Joris de draak.'

'Dat wil ik niet meer horen.' Joris snoot zijn neus. Met de zakdoek die Gerrit hem gegeven had.

'Weet je wat? Ik kleed me aan en dan mag je met me mee.'

'Waar naartoe?'

'Naar mijn vader en daarna gaan we ergens pannekoeken eten.'

Joris gniffelde. Hij trok snot langs zijn neusgaten naar zijn hersenen.

'Niet doen,' zei Anne.

'Moet ik mee?' vroeg hij.

'Niets moet, maar het zou ons wel helpen,' zei ze.

'Ik wil hem niet zien,' zei Joris.

'Misschien is het wel goed dat je hem leert kennen,' zei Anne, 'dan zul je later beter begrijpen, waarom ik weg moest!'

'Maar je komt toch nog terug?' vroeg Joris en ze zag hoe zijn jongenslijf beefde.

'Als alles over is, kom ik misschien terug, Joris,' zei ze gelaten.

Ze ontweek het onbegrip in zijn blik. God, dacht ze, houd ik werkelijk zo weinig van dit kind, of kan ik niet echt om iemand geven? Heb ik het ooit wel gekund? En ze dacht aan die familiefoto: daar stond zij tussen haar vader en moeder in. Ze had op bevel naar het vogeltje in de camera moeten lachen. Terwijl haar vaders zware hand op haar schouder drukte.

'Kom, we gaan dan maar,' zei ze.

Hand in hand stapten ze het beluik uit en liepen de grote steenweg op.

'Is het ver?' vroeg Joris.

'Tamelijk,' zei ze.

Onderweg vertelde Joris over Gerrit.

'Hij heeft gisteren ruzie gehad met die blonde mevrouw, die eens bij ons sliep,' zei hij.

Anne gaf geen antwoord. Arme Gerrit, dacht ze.

'Zul je altijd heel veel van papa houden?' vroeg ze.

'Ja,' zei Joris, 'en van jou ook.'

Ze kneep hard in zijn hand.

'Aai,' zei Joris.

In het rusthuis zat haar vader in zijn zetel bij het raam voor zich uit te staren en tegen de muur te spreken, met een eentonige stem. Van op een afstand bleven Anne en Joris naar hem kijken.

De woorden die hij als een automaat afdreunde, ketsten tegen de harde wanden haar hart binnen. Muren, behangen met een streepmotief, eindeloze bruine strepen die nergens eindigden en nergens begonnen. Want zo was dat daar. Er was nergens nog een begin. En waar het eindigde, dat kon je niet zien.

Ik was het tweede kind van mijn moeder en het oudste van mijn vader. Mijn moeder had al een kind: een voorkind, zeiden ze daar tegen. Van haar broer. Ik was van mijn vader; mijn broer en mijn zusters ook. Wacht eens, hoe noemden die weer? Julien en Diane. Maar die stierf toen ze nog jong was, achttien moet ze geweest zijn, aan een nierziekte.

En Julien stierf toen hij veertig was. Mijn vader werd zesentachtig en mijn moeder een jaar ouder. Ze stierven dag op dag een jaar na elkaar. Mijn vader eerst, mijn moeder laatst. Ze liggen op het kerkhof van Zeveneken.

Zeveneken, er staan daar zeven oude eiken langs de weg, vlak voor het kerkhof. Kijk die daar, ze weet niet meer van welke parochie ze is.

Ze zijn daar met het eten. Het zal weer niet veel zaaks zijn, zoals altijd. Ik zit hier maar te zitten. De klok tikt, de tijd gaat, ongebruikt. Ik zit hier aan de dood vastgekluisterd. In het hiernamaals geloof ik niet. Dood is dood.

Vroeger, ja, toen dacht ik daar wel anders over. Maar nu, het is allemaal bedrog en leugen. Overal is er oorlog, overal moord en doodslag en miserie. De radio blaat voortdurend rotzooi en van die moderne muziek.

Ze zijn daar met het eten, het zal weer niet veel zaaks zijn. Het zullen wel weer gehaktballen zijn, zoals alle dagen. Ze gaan voorbij. Het was geen eten. Het is de verzorging. Als ze mij maar gerust laten, vandaag. Met hun pillen altijd.

Een grote smeerboel is het hier. Eigenlijk is het leven een grote vuilhoop. Alles is verschrikkelijk. Een grote rotzooi is de wereld.

Wat staat er in mijn krant? Verdorie, ze hebben er al in gelezen!

Wie heeft hier op de kamer mijn dagblad al in handen gehad?

Komaan... Niemand. Arthur? Constant? Ze liegen om ter blauwst. Maar ja, Judas was ook zo... Leugenaars... Debielen... Om op te kotsen. Verdomd. Als ik er een op betrap dat hij in mijn krant leest, zal het hier nogal waaien.

En wat staan die twee papegaaien daar tegen die muur te doen?

Het krioelt hier van de vreemdelingen tegenwoordig. Ze laten hier iedereen en alleman binnen. Nergens ben ik nog veilig.

Hij verliet sloffend de kamer. De krant lag wanordelijk verspreid over de tafel. De andere oude mannen zaten zacht voor zich uit te spreken. Ze hadden genoeg aan hun eigen aanwezigheid.

Joris beefde van nervositeit.

'Zo is dat hier,' zei Anne. 'Kom, we gaan.'

Traag liepen ze de trap af. Joris hield haar hand vast. Ze zwegen.

Buiten haalde het kind opgelucht adem, snoof de lucht en keek naar de wolken.

'Ze hangen laag,' zei ze.

'Hij is echt gek, niet?' vroeg Joris.

'Ik weet het niet,' zei Anne.

'Zou papa ook zo worden?'

'Neen.'

'Hoe weet je dat?'

'Omdat hij sterk is,' antwoordde Anne.

'Ik heb geen zin in eten,' zei Joris.

'*Neither have I*,' zei Anne.

'Ik begrijp Engels, hoor,' zei Joris.

'Ja,' zei Anne, 'maar je begrijpt mij niet.'

'Laten we pannekoeken eten,' zei hij.

'Vooruit dan maar.'

Het kind keek haar zijdelings aan en trok de snot in zijn neus op.

'Niet doen,' zei ze, 'papa gaf je een zakdoek.'

8

Een poker-face

Jeannetje van Diependaele loopt in de maxi-supermarkt. Elf uur.

Op de grote parking staat haar twee-paardje verloren tussen een kleurige kudde. Een carrosserie-peloton.

Voor ze haar vriend ontmoette, stond het geitje er elke dag, plompverloren op die zoveel parkingvierkante meters. Want het was dan nog heel vroeg in de morgen. Om half zes. Want Jeannetje werkte een tijdje geleden in die superdinges als poetsvrouw, wat nog geen lachertje was.

Boven, op de personeelsafdeling, stonden in een grijze geschaafde versleten ijzeren kast – de zoveelste in lange eentonige rijen – haar twee gemakkelijke schoenen, waarmee ze als het ware op wolken liep en die ze wisselde voor werkvoeten.

'*Galochen*,' zei ze daar tegen. Daar gleed ze mee op de maat van de zwabber die ze voor zich uitduwde, langs alle kanten, zwierde en liet zich draaien en keren met de nodige *mutatis mutandis.*

Haar tang lag in het vuur, want ze kreeg maar drie uren tijd om de boel netjes te krijgen, samen met nog drie vrouwen. In die periode had Jeannetje een gepeperde gasrekening: eindejaars-opleg van veel verbruik door te-hoge-koude-buiten en te-weinig-isolatie-binnen. En omdat Jeannetje altijd alle aangeboden rekeningen wou vereffenen, zocht ze zich een vaste job. In de advertenties, in de rotadvertenties. Poetsvrouwen gevraagd, in overvloed. De Vlamingen moesten zo zeker als wat stilaan het properste volk ter wereld zijn! Of het meest luie. Jeannetje mocht dan al een hekel aan de keuken hebben en aan poetsen in het algemeen, veel keuze had ze niet om zo onmiddellijk werk te vinden. Ze had al voor hetere vuren gestaan!

'Er zal altijd narigheid zijn tot de roodborstjes komen,' zei haar grootmoeder. Eigenlijk had Jeannetje die spreuk nooit goed begrepen, maar ze vond het wel aardig geformuleerd. En is een roodborstje geen mooi en zeldzaam vogeltje geworden?

Maar goed, Jeannetje las die advertentie van een firma die zichzelf tot '*Assepoetster*' had gepromoveerd en omdat ze nog ergens in sprookjes geloofde, ging ze erheen om te solliciteren.

'Ken je de deurwasproef?' vroeg een dame, die later de rang van sectorleidster bleek te hebben.

'Natuurlijk,' zei Jeannetje, 'met water en eventueel een detergent erin.'

'Ik bedoel de manier om die deur af te wassen,' herhaalde de blonde sectorleidster de vraag.

'Van rechts naar links en van links naar rechts,' antwoordde Jeannetje.

'Goed,' zei de blondine, *gepermanent* met een spinnewebkapsel, 'goed, maar van onder naar boven of van boven naar onder?'

Eventjes logisch denken, dacht Jeannetje. Was het van boven naar beneden, ze zouden zoiets stoms niet vragen, het moest dus wel van onder naar boven zijn.

'Van onder naar boven,' zei ze. En ze keek in twee staalharde, gekuiste ogen. Geen slapertjes in de ooghoeken!

Jeannetje werd op slag aangenomen, samen met twee immigranten, die met hun hoofddoek – *basörtü* – aan voor een zweetkuur stonden. Hun hoofden zouden smelten, daar in die supermarkt die er in de vroege morgen bijlag als een dodelijk slagveld van de consumptiemaatschappij. Wat daar niet allemaal op de grond lag! Van vogeleten tot muizevallen, van pampers tot regenjassen, van koekjes tot jam, van olie tot limonade, van waspoeder tot verzachter: het lag er allemaal verspreid.

In haar blauwe schort – maat vierenveertig – met op het linkerbovenzakje in fijne lettertjes '*Assepoetster*' geborduurd, draafde Jeannetje in die tijd van zes tot negen door de gangen. Met nog slapers in de ogen.

'Ik heb maat achtendertig,' zei Jeannetje toen ze de schort kreeg.

'Je zult je nog zo goed kunnen bewegen in die vierenveertig,' zei de sectorleidster en ze kreeg nog gelijk ook, want al dat zwieren en zwaaien en draaien vroeg wel ruimte.

En terwijl Jeannetje zich dag na dag meer uitgeput door de supermarkt sleurde aan een brutoloon van tweehonderdvijftig frank per uur – netto tweehonderdtwintig frank – dacht ze gelaten: Arbeid adelt, maar waarom bleef ik in de middeleeuwen steken?

En daar had ze geen ander antwoord op dan dat ze van kleine komaf was.

'In de verkeerde wieg geboren,' zei haar moeder, toen ze eens gevraagd had: 'Moeder, waarom leven wij?'

Haar Turkse collega die met haar bij de prikklok stond, begreep Jeannetjes insinuaties op de slavenarbeid niet en zei, breedlachend met een gouden tand in haar mond:

'*Lutfen en fazla iki tane alin*?'

Pas later begreep Jeannetje door de vertaling van de andere immigrant dat dit 'maximum twee kaarten nemen!' betekende.

'Verdomme,' zei Jeannetje, 'twee kaarten nemen! Ik werk nu al voor twee.'

Ze hoorde tussen de kastgangen in een kort gesprek dat de druppel water werd die haar werkemmer deed overlopen.

Ze was naar haar kastje gestapt om zich uit te kleden en er haar schort in op te bergen. En de *galochen*.

Een gang verder stonden twee vrouwen te praten. Twee onbekenden. Mogelijk kassiersters. Eén van hen klaagde temerig, met een zilveren stem, over haar man. Hoe slordig hij wel was. Altijd en overal liet hij zijn zaken slingeren: zijn boeken, zijn sokken, zijn onderbroek naast het bed, zijn sigaretten en zijn vuile zakdoeken. De andere vrouw sprak tweemaal zo snel, een mezzosopraan. Wat het luisteren bemoeilijkte. Het leek wel het gekakel van een maiskip die een ei wil leggen en er geen plaats voor vindt: Of het niet kan!

'Sneu! Wat rot voor je! In jouw plaats zou ik dat niet nemen! Dat is toch geen manier om je vrouw te behandelen! Je hebt toch ook recht op rust! Ik zou hem niet zo zijn gangen laten gaan...'

De zilveren, vertwijfeld door de reactie van haar vriendin, werd nog lijziger:

'Hij is zo, hij was altijd zo, hij zal zo blijven. Ik moet het er maar mee doen!'

Waarna de kakelende mezzokip:

'Het is jouw huisgezin. Ik zou in elk geval niet zo op mijn kop laten zitten!'

Jeannetje vond het maar niks, dat roddelen, dat kijken naar de ingewanden bij anderen. Ze keek even om de hoek, in de andere gang. Het vrouwtje met de zilveren klaagstem schudde snel het hoofd, trok de schouders en de wenkbrauwen omhoog, verontwaardigd omdat haar vriendin haar niet steunde. Veel liever had ze gehoord: 'Och kind, alle mannen zijn zo!'

Jeannetje kende dat gebaar. Ze had lang geleden ook die tic gehad. Ik hoor hier niet, dacht Jeannetje. Niet voor het werk en niet tussen leuterende vrouwen. We hebben dat al gehad. Ze had die film tot vervelens toe gezien. Elke scène kende ze uit het hoofd. Men kan alles doodzwijgen maar men kan niet doodkijven, dacht ze. Had ze dat maar ooit gekund! En het was precies die druppel zelfkennis die de werkemmer deed overlopen.

In al haar stotigheid en humeurpijn ging ze naar de sectorleidster, bekeek haar *permanent* met een apegrijns en zei als een neetoor:

'Mevrouw, ik kan de volgende dagen niet komen werken, want mijn vader ligt te zieltogen en ik moet zeker naar de kapper, anders ben ik op zijn begrafenis ontoonbaar.'

Ze had haar de vierenveertig gegeven, haar donkerblauwe zwabber en haar groene emmer, de gele dweil en de zwarte vod en toen was ze naar haar kast gelopen, waarin ze nota bene haar gemakkelijke schoenen liet staan en op haar plastic anti-water-werkschoenen liep ze weg. De gemakkelijke voeten wisten nog niet dat ze op hun laatste benen hadden gelopen... Oh, wat had ze een spijt. Oh, wat had Jeannetje een garnalegeheugen, als ze in de war was.

En daaraan dacht Jeannetje toen ze in die supermarkt haar inkopen deed: aan haar schoenen boven haar hoofd, aan haar vader die nog altijd lag te zieltogen en aan de vuilnis die onder de rekken lag.

'Oh, pardon,' zei de heer die tegen Jeannetje aanbotste en daarbij een doos vogeleten omkiepte, die onder Jeannetjes voeten muziek maakte als het sneeuwwit vogeltje dat op een stekeldoorntje zat.

'*Afedersiniz*!' antwoordde Jeannetje zo vlug als kijken. De man bekeek haar van kop tot teen en omgekeerd, want Jeannetje droeg een minirok en zeker geen *basörtü*.

Had arbeid dan al niet geadeld, ze had er toch Turks geleerd.

Het zal me wel eens van pas komen, dacht ze. Haar kar werd zo vol als mut en haar portemonnee zo leeg als de staatskas, toen ze aan de kassa betaalde. Ze kreeg spaarzegels voor een badjas die ze toch niet nodig had. Want ze had geen badkamer, ging nooit zwemmen, en naar zee wou ze niet. Omdat het sop de kool niet waard was. Op de parking schoot het haar te binnen dat ze de persappelsienen vergeten was. Verdomme toch. Met een rammelende maag en auto reed ze naar het rusthuis van haar vader. Om haar plicht te vervullen. Ze vatte haar stuur, alsof ze zichzelf de keel wou toeknijpen, omdat ze niet anders kon dan rijden.

Het was half één toen ze er aankwam. Ze parkeerde op een van de vier plaatsen voorbehouden voor de directie, wat ze vanzelfsprekend niet gezien had, en liftte naar de tweede verdieping. Naar de kamer van haar vader. Die zat zijn krant te lezen. Hij was blijkbaar in goede doen. Het zieltogen was nog niet voor onmiddellijk.

'Ge zijt zo vroeg?' zei hij.

'Ja,' zei Jeannetje, 'maar ik kan niet lang blijven.'

‘Moet ge ne keer luisteren,’ zei haar vader.

‘Ik luister al gans mijn leven naar u,’ zei Jeannetje.

‘Dat zal wel,’ zei hij, ‘dat was uw plicht.’

Jeannetje zweeg.

‘Wat hebt ge gegeten?’ vroeg ze om de stilte te verjagen.

‘Ik geloof, tomatensoep met balletjes en... het spijt me, mijn kind, de rest weet ik niet meer. Maar het was goed. Ge zult mij geld moeten geven, want ik zit weer zonder en hier kennen ze geen zakgeld,’ zei hij stringent als om te bewijzen hoe slecht hij het wel had.

‘Ge hebt recht op tweeduizend achthonderdvijftig frank,’ antwoordde ze even streng...

‘Recht wel, maar krijgen is wat anders,’ zei hij en Jeannetje voelde zich de neus afgebeten.

‘Ik heb er u nog maar pas gegeven, vader,’ zei ze, ‘driehonderd frank en drie pakjes sigaretten en dat was eergisteren.’

‘Ja? Daarvan rappeleer ik me niets meer,’ zei hij.

‘Het lastige met u is, vader, dat ge met een selectief geheugen zit, dat wil zeggen, dat ge u alleen maar herinnert wat ge u wilt herinneren en voor de rest zit ik met de gebakken peren,’ zei Jeannetje.

‘Welke peren?’ vroeg hij.

‘Die welke gij mij in de tijd hebt gegeven,’ zei Jeannetje. Ze haalde haar portemonnee boven en gaf hem twee briefjes. Lieve hemel, ze zou haar vriend om geld moeten vragen, anders kwam ze het weekend niet door...

‘Ik heb zo raar gedroomd vannacht,’ zei hij, ‘over het stallicht.’

‘Waarover?’ vroeg ze.

'Over het dwaallicht,' zei hij zorgelijk. 'Ik liep zo hard dat ik er nu nog moe van ben. Ik was een jaar of achttien en ik had een paar stroppen gezet tussen de Muide en Oostakker. In het midden van de nacht trok ik daar naartoe. Al meteen zag ik boven mij een licht. Een stallicht, zei ik tegen mijn eigen. En de kriebels liepen mij over de rug. Want dat licht danste over en weer. Blauwgroen was het. Appelgroenblauwzeekleur...

'Gerust laten, zoiets,' had mijn vader nog verteld, 'en er zeker niet naar gebaren.'

Maar van de schrik deed ik mijn hand voor mijn ogen en zie, dat stallicht kwam razendsnel naar mij toe. Ik liep als bezeten naar huis, dat licht kwam altijd maar dichter en toen ik thuis de deur achter mij dichtsmeet, patste het er aan de buitenkant tegen.

'Ge had verdomme dood kunnen zijn,' zei mijn vader.

Want op de deur was een grote schroeivlek te zien. En toen ik wakker werd, had ik het ongelooflijk koud.

Hij staarde haar bijna verwezen aan. Jeannetje voelde zich nog humeuriger. Van de kruisbloemenfamilie. Een huttentut.

Hij met zijn doodsangst ook...

'Goed dat ik u nog heb,' zei hij.

'Ik wou dat ik hetzelfde kon zeggen,' vond Jeannetje.

'Ik ben hier niet graag, mijn kind,' zei hij.

Jeannetje zuchtte.

'*Yazik*,' zei ze.

'Wat vertelt ge daar,' vroeg hij.

'Dat het jammer is, vader,' zei Jeannetje. 'Vader, ge zijt oud. Heel oud. Op straat lopen kunt ge niet meer en bij mij wonen kunt ge evenmin.'

'Ge werkt nu toch niet meer?' vroeg hij.

‘Ha, dat weet ge dan toch nog,’ antwoordde Jeannetje.

‘Denkt ge misschien dat ik een onnozelaar ben of een *lobok*?’ vroeg hij.

‘Wat ik denk, is van geen belang,’ zei ze, ‘maar ik heb ook nog recht op een beetje leven en daarbij, ik heb iemand leren kennen.’

‘Ha, madame gaat weer voor hoer spelen,’ zei hij bits.

‘Ja, vader,’ zei ze stil, ‘en daar weet gij alles van, niet? Of zijt ge dat ook vergeten?’

‘Ik heb vuile was,’ zei hij, ‘doet ge die mee?’

‘Ik sleep al heel mijn leven uw vuile was achter mij,’ zei Jeannetje. ‘Waarom zou ik die dan nu laten liggen?’

‘Wanneer komt ge terug?’ vroeg hij.

‘Als ik tijd heb,’ zei Jeannetje en met een dreun trok ze de kamerdeur dicht.

‘Het is toch geen Turk waar ge u nu mee bezighoudt?’ riep haar vader haar achterna.

‘*Beni rahat birakin*,’ riep Jeannetje terug, met andere woorden: ‘Laat me gerust, babam!’

De lift zat ergens vast. Woedend nam Jeannetje de trap. Met de zak wasgoed in haar hand en met een bijna lege portemonnee. Een eenzaam hart dat op het nippertje, aan de rand van de afgrond, een strohalm vond om zich aan op te trekken: haar nieuwe vriend, de relatie. En alles wat ze ervoor had: een resem mansorde in *queue*, als ganzen, dat stonk als de pest. Ge zoudt er een *poker-face* van krijgen, dacht ze. En ze ziet haar vader – verslaafd aan zinloze woorden – in gedachten staan: met ontbloot bovenlijf, met ongekamde haren en met zijn stoppelbaard.

Ze kan zich hem gemakkelijk voorstellen als de laatste man op aarde, als diegene die een kernoorlog heeft overleefd. Eindeloos voor zich uitpratend, zonder aandacht voor de omgeving.

Ge zoudt er inderdaad een pokergezicht van overhouden, dacht ze moedeloos. Ze krabde haar kin. Een tic, want daar groeide sinds lang een enkel haar. Zelfs slapend groeit het.

'Slapers scheppen de wereld,' zou Herakleitos gezegd hebben. En met een *poker-face* met haar op de kin reed Jeannetje verder de dag in...

9

De kakmadam

Het pokergezicht-hoofdstukje herlezend, zit ge daar met uw handen in het haar. Met een gezicht als een reuter die alle gevoelens heeft gefilterd. En al het vuil dat bovendrijft, maakt dat ge de zeef van uw gelaat in de vuilbak zoudt willen uitkiepen. Het staat er nu en ge moet het laten staan. Want zonder gezicht loopt niemand rond. Zoals ook de woorden er moeten staan die uit uw hersenen werden gewrongen als uit een dweil voor de tweede opslorpbeurt.

Ge weet het wel: die bladzijden zijn maar heel gewoon. Wie schrijft nu in 's hemelsnaam over een poetsvrouw? Daar moogt ge toch geen woorden aan verspillen zeker? Het is precies een universeel sociaal geval, dat Jeannetje van Diependaele... Maar ze is uw heldin, ook al groeit ze boven uw hoofd.

Ge hebt uw computer uitgeduwd en ge zijt naar de winkel gelopen om eindelijk te doen wat ge u al zolang hebt voorgenomen: schilderen. Want ge wilt weleens wat anders uitspoken en daarbij, dat schilderen heeft een schrijfdoel.

En daar staat ge nu verloren in uw werkkamer, die nu plots een atelier werd. Met een doek – want op *unalit* schildert ge niet, dat is voor kladpotters – en een penseel uit marterhaar – ge hebt maar één exemplaar gekocht, wie weet nu dat die zo duur zijn en die uit de supermarkt verliezen hun haren – en met tubes verf – *Mary's Oil Colour, 14 colours made in the Republic of China* – want ineens had ge geen geld meer om er van het blanke ras te kopen – en de moed zinkt in uw schoenen want ge moet eraan beginnen...

Hoe doet ge dat? Ge sluit uw ogen en de beelden die voor uw ogen voorbijschieten vragen veel zwart en rood en geel. Gelijk de kleuren van de vlag van uw vaderland, hoewel ze in uw hoofd niet strepen maar door elkaar lopen. Ge ziet verschrikkingen in visioenen, ge ziet bulderende openspattende lijken, ge hoort ze zelfs ontploffen als de granaten hen raken en ge ruikt de dood in de brandwonden die ze hebben van de chemische wapens. Daar is geen beginnen aan.

Ge loopt naar uw kast en ge neemt *Wendon Blakes Landschapschilderen* – tekenen als hobby – en ge doorbladert, zoals ge altijd alles doorbladert en nooit eens goed leest of bestudeert. Ondertussen regent het buiten en mistroostig probeert ge Jeannetje een echt gezicht te geven, met de ogen open, want ze mag in geen geval op u lijken. Ge had dat landschappenboek eigenlijk niet nodig, want als ge zelf voor de *cover* van het boek wilt zorgen, hebt ge alleen maar een gezicht of een vrouwenfiguur nodig.

Ge loopt naar de spiegel, ge ziet een kin met twee lijntjes ernaast, van uw huid die haar vocht en haar spankracht aan het verliezen is, en ge weet dat Jeannetje – de sexbom – in de verste verte niet op u kan lijken. Ge hebt in het begin een fout gemaakt: ge had haar beter blond laten zijn. Dat geeft zachtheid. Ge kunt haar in het boek nog naar de kapper sturen om zich blond te laten verven. Maar dat is een zorg voor later... Nu is ze zwart.

Het geel is voor het landschap waarin ze loopt, met de zon boven haar hoofd. Die moet erbij. Misschien kunt ge er brem bijzetten, hoewel... dat is geen mode meer, al die detailleringen en die natuurdinges. Ze sterven niet alleen uit in het echt, maar ook in uw fantasie. Ge kunt haar ook een geel kleed aantrekken. Dat is geen probleem. Het is haar gezicht dat voor moeilijkheden zal zorgen, en haar handen want die zijn de spiegel van de ziel. Ze moet ogen hebben die lonken, gelijk in het lied van Wim Sonneveld die de rode rozen in de tuin rond het vaderlijk huis niet meer kan zien. Jeannetje houdt zo van dat lied: 'En langs het tuinpad van mijn vader, zag ik de rode rozen staan. Ik was een kind en kon niet weten, dan dat dit eens voorbij zou gaan...'

'Nu weet ik het wel,' zegt ze.

En daar staat ge verslagen, precies of er iemand riep: *'Hands up!'*

Ge zijt maar een mens die met twee handen veel te veel wilt doen.

Ge steekt uw penseel in het water, ge droogt het af aan een oude keukenhanddoek en ge begint voorzichtig. Bij de eerste streek hebt ge al in de gaten dat het niet zal lukken. Het zal een gevlekt schilderij worden, maar dat kunt ge ook op een andere keer maken. Het is Jeannetje die ge wilt, voor op de *cover*. Want die is belangrijk. Gij loopt toch ook altijd naar boeken die er zo geweldig uitzien van buiten?

En meteen is daar weer die vervloekte telefoon. Ge legt uw penseel bovenop uw handdoek en ge neemt op.

'Neen, neen, ik ben niet aan het werken. Ja, ja, ik heb tijd.'

‘Hebt ge het al gehoord?’

‘Wat zou ik dan moeten gehoord hebben?’

‘Van Leo, die is toch van het dak gevallen?’

‘Hoe, Leo is van het dak gevallen? Van welk dak?’

‘Ge weet toch wel dat hij altijd klaarstond om mensen te helpen? – Ge wist dat niet, maar allez... Hallo, koko...’

En terwijl ge staat te telefoneren, valt uw oog op een bladzijde uit het dagblad. Een spetterende reclame-afbeelding voor een haarshampoo. En kijk zie: dat is uw blond Jeannetje, dat vrouwke van de haarspoel-hersenspoel! Een vrouwmens met broeiende lonkende ogen, wimpers tot aan de hemel, een wulpse mond en handen met lange fijne rode nagels. Die wijzen naar het onbekende... Naar het grote verre onbekende...

‘Ik moet afhaken,’ zegt ge, ‘er wordt aan mijn voordeur gebeld.’

Want hoe kunt ge verklaren dat een obsessie van u daar op de grond ligt? Ge neemt het dagblad; ge knipt haar met de oude afgeleefde schaar – die nog van uw moeder is – uit en de kartelingen weg. Voilà. Zo gebeurd. Daar ligt ze.

‘Leo is dood,’ zegt ge, ‘en gij leeft.’

Ze zullen er op de uitgeverij wel hun plan mee trekken. Ge zucht. Voorlopig mag dat schildersgedoe opzij, ge wordt niet graag geconfronteerd met uw onkunde. Ge placeert u op uw stoel en ge doet verder met uw lieflijk Jeannetje. Ze leeft! Hoe blij zijt ge dat ze nu eindelijk een gezicht heeft gekregen. Meer nog, ge zijt fier, hovaardig. Uw eigen lof stinkt, want daar is iets gaan vliegen van ’t verschieten. Het stinkt zo hard dat ge nu buiten precies het gras hoort groeien. In feite zijt ge maar een kakmadam, denkt ge, die van Jeannetje een paradepaardje wil maken. Maar kom, de koe vergeet graag dat ze kalf is geweest.

Terwijl ge naar het toilet loopt, want ge moet echt wel dringend, hoort ge de bel van de voordeur. Ge hebt dus maar half gelogen. Het is uw postbodeke met haar blonde haar en haar mooie gezichtje. Tiens, ze doet u een beetje aan Jeannetje denken.

'Dag, madame,' zegt ze, 'ik heb een aangetekend schrijven.'

'Van wie?' vraagt ge en terwijl ge al tekent voor ontvangst, ziet ge dat het van de belastingen is.

'Het is toch geen één april?' vraagt ge.

Uw postbodeke lacht – met twee kuiltjes in haar wangen en in haar knieën – en ze zegt:

'Ik heb er vandaag al zoveel moeten ronddragen.'

'Ha, ja,' zegt ge, 'dan zal het geen goed nieuws zijn.'

En met de bruine omslag – Ministerie van Financiën – die ge voor uw voeten op de grond legt als ge ge-weet-wel-waar gaat zitten, beseft ge ineens dat het maar goed is dat schrijvers weinig verdienen: dat is om de belastingen werk te besparen. En zonder dat ge het wilt, ontsnappen u kwalijke woorden. Ge zegt:

'Leo jong, u kunnen ze niet meer lastig vallen.'

En dat is uw manier om op zijn begrafenis aanwezig te zijn!

10

Shit op het basalt

Jeannetje weet nog niet dat er thuis een brief op de schoorsteenmantel staat. Een afscheidsbrief die ze voorlopig nog niet zal kunnen lezen; want zoals we weten, zal deze dag geen prettige dag worden. Wel een gestoorde... Om half twee komt Jeannetje thuis. Ze stormt haar veertien steile treden op. *Merde.* Het is stil in huis. Hij zal naar zijn vriend zijn, denkt Jeannetje. Ze kijkt niet naar de schoorsteenmantel, ze ziet de witte enveloppe niet waarop in drukletters staat: *VOOR JEANNETJE.* Ze kan haar jas niet uitdoen, want de telefoon rinkelt gloedheet. Verdomme, denkt ze en ze neemt af. Met tegenzin.

'Hallo,' zegt ze bijna toonloos. De andere kant is minder zonder geluid, daar huilt entwat.

'Mama? Ik ben het. Ik heb mij pijn gedaan op school in de turnles en nu kan ik niet meer lopen. Kan iemand mij komen halen?'

Jeannetjes hersenen werken als een watermolen. Op volle kracht. Pompen. Het water rond slaan. Jeannetje heeft een waterhoofd. Alstublieft, denkt ze, eerst mijn vader en nu dat. Ze zucht. Al blazend krijgt ze misschien die prop uit haar maag en dat kolkend gevoel uit haar hoofd.

'Om wat te doen?' vraagt ze.

'Ik kan misschien bij u blijven, tot mijn rug beter is; ik heb waarschijnlijk een verschot. Mijn rug doet zo pijn, iedere beweging kost me moeite.'

Jeannetje zucht nog dieper. Het komt van onder de grond, waar vroeger paardestallen stonden. Het stinkt er nog naar.

Maar ze moet neen zeggen. Neen, tegen die ijdeltuit die dacht op achttien de wereld aan te kunnen, op kot ging zitten, het financieel niet kan rooien en terug naar huis wil. Terwijl ze weet dat haar moeder een nieuwe relatie aan het opbouwen is, en dat zij en die vriend elkaar niet kunnen horen of zien.

'Ik kom,' zegt ze, 'stel u aan de ingang van de school. Binnen twintig minuten ben ik er.'

'Ja, mama.'

Ja, mama, denkt Jeannetje.

Ze heeft de brief nog altijd niet in het oog. Inaccuraat Jeannetje.

'Mijn sleutels, verdomme,' zegt ze. In haar jaszak natuurlijk.

En Jeannetje rijdt door de drukke straten van de drukke stad, waar het lijkt alsof iedereen die middag buiten moet zijn. Er rijden er nóg met vaders in rusthuizen en met gevallen dochters in turnlessen, denkt ze. Ze denkt nog veel meer. Het komt allemaal naar boven. Ik zou ontkenning moederschap moeten kunnen aanvragen, denkt ze. Bij haar weten heeft nog geen enkele vrouw dat gedaan... Braakliggend terrein, denkt Jeannetje. Voorlopig nog geen ontkenning, het moederschap blijft. Ha, ha. Om u kreupel te lachen. Dochter zit voorovergebogen – diep in elkaar gedoken, dubbelgeplooid – op het muurtje voor de ingang van de school.

'Aaaaaaaaaiiiiiiii,' roept ze.

We maken er een fragment van. Een Bijlokebrokstuk, ziekenhuisgeur. Spoedopname. Wachten. Dokter en assistent. Formulieren. In drie exemplaren: één voor de patiënt, één voor de dokter, één voor de computer. Wachten. Lopen van de muur naar het witte gordijn, liggen kijken van de muur naar het dichtgeschoven gordijn. Elk op zijn manier. Loeren door de spleet van het gordijn. Eindelijk, de dokter met – natuurlijk – een assistent.

Dochter wordt gekraakt, aan de rechterzijde, aan de linkerzijde.

'Aaai, aai, oei, oei,' roept ze.

'Oei, oei, iiii, pffff, aai,' roept ze voor de linkerkant.

En voor de twee kanten samen: 'Shit.'

'De ziekte van de jeugd,' zegt de arts van dienst.

'Shit of het verschot?' vraagt Jeannetje.

Een paar dagen platte lig en klaar zou Keesje zijn, als Keesje nu niet uit eigenbelang alleen zat te krotten op een studentenkot van twaalf vierkante meter: een zolderkamer met veluxraam, een trap als een kippenladder en de keuken drie verdiepingen lager met potten en kastrollen waarin haarpunkers van alle kleuren zitten omdat iedereen ze gebruikt en niemand ze schijnt gehanteerd te hebben.

'In bed blijven,' commandeert Jeannetje bazig.

Ze controleert de voorraad eten. Brood, boter, beleg: genoeg voor een dag.

'Morgen breng ik eten,' beslist ze.

Uit de aangrenzende kamer vangt ze een gesprek op:

'Zijn ze ook bij u geweest?'

'Wie?'

'De bende.'

'Neen.'

‘Ze waren met drie.’
‘Wat vroegen ze?’
‘Of ik een X.T.C.-pil wou.’
‘Wat zei je?’
‘Dat ik het geld niet had.’
‘Wat zeiden ze?’
‘Dat ik zulke mooie benen had.’
‘En?’
‘Ik mocht betalen met mijn benen, zeiden ze.’
‘Wat betalen?’
‘De pil.’
‘Oh. En?’
‘Ik heb ze alle drie genomen.’
‘Kreeg je ze?’
‘Neen.’
‘Jammer.’
‘Ja.’
‘Wil je er een?’
‘Ja.’
‘Laat me eens jouw benen zien.’
‘Krijg ik van jou die pil?’
‘Ja, als je kan zwijgen.’
‘Oké dan, ik geef geen kik.’
‘Je hebt cellulitis. Schuif op, meid.’
Dan wordt de deur dichtgegooid. Einde van de luistervink.

‘Vroeger deden we het met drank, nu met drugs,’ zei Jeannetje. Dochterlief knikte, want elke beweging deed haar pijn. Voor die is er voorlopig geen gevaar, dacht Jeannetje. Ze zette koffie, goot die in de thermos, maakte de boterhammen klaar, keek op haar uurwerk.

De dochter zei:
'Hoe laat is het?'
'Twintig na vier,' zei Jeannetje. 'Godverdomme, het is al twintig na vier.'
'Je moet naar hem toe?'
'Ja.'
'Ik vind het niet prettig hier alleen te blijven.'
'Jaaa.'
'Ga je echt naar hem toe?'
'Ja, ik moet.'
'Hooooo.'
'Het kan niet anders. Hier is uw eten voor vandaag.'
'Mijn sigaretten?'
'Niet roken in bed.'
'Mijn sigaretten?'
'Hier.'
'Hoe laat is het?'
'Vijf voor half vijf.'
'Ga maar naar hem, ga maar naar hem, ga maar naar hem.'
'Hoe laat is het?'
'Drie minuten voor half vijf.'
'Hoe laat kom je morgen?'
'Van zodra ik kan, zeker voor de middag.'
'Aaaaai, oeiii, hoe laat is het?'
'Half vijf. Ik ga.'
'Is hij bij jou?'
'Ik hoop het. Ik ga. Is er lectuur?'
'Nee, ik heb niks meer.'
'Ge hebt toch nog wel iets, zeg.'
'Neen.'
'Hier, herlees dan *Het verbrande kind*.'

'Zo ongelooflijk saai... Aaai.'
'Hier, de *Tantes.*'
'Zo oud. Hoe laat is het?'
'Tijd om op te krassen.'
'Zoen?'
'Vooruit dan maar.'
Smak.
'Nog een.'
Smak.
'Ik zette alles binnen handbereik. De pijnstillers ook.'
'Hoe laat is het?'
'Vijf na half vijf.'
'Je hebt mij twee uur gegeven. Aaai.'
'Ja.'
'Tot morgen?'
'Ja. Probeer te slapen. Wacht, ik draai uw teeveeke.'
'Ho, ja.'
'Tot morgen?'
'Aai. Ja. Twee keer bellen, dan komt die van hiernaast opendoen.'
'Die met haar mooie benen?'
'Ja.'
'Als die wakker is.'
'Ze zal wakker zijn. Roep het eens door de deur.'
'Ze zijn bezig.'
'Dat geeft niet. Ze is altijd bezig.'
'Oh.'
'Tot morgen.'
'Mama?'
'Ja?'
'Jammer dat je naar hem toe moet.'
'Ja.'

'Ga maar, ga maar, ga maar.'

'Ge begrijpt het toch.'

'Neen.'

'Ge zult het later wel verstaan.'

'Misschien. Hoe laat is het?'

'Kijk op uw polshorloge...'

'Het is twintig voor vijf.'

Jeannetje trok de deur achter zich dicht. Het drenzen deed haar pijn. Ze keek naar de grond. Terwijl ze de buurkamer voorbijliep, hoorde ze kreunen. Mijn God, waar bestu bleven? Hij wacht op Godot, dacht ze.

Ze riep:

'Morgen in de voormiddag voor mij de deur eens opendoen?'

'Ja,' hoorde ze twee gesmoorde stemmen.

Het was twaalf minuten voor vijf. Nu zit ik nog in de spits ook, dacht ze. Ze voelde zich een sleepberrie. Om kwart over vijf kwam Jeannetje thuis. De bloempotten op de vensterbank stonden toe te kijken hoe ze zich voor de deur parkeerde en met haar achterwiel tegen de stoep schuurde.

'Shit,' zei Jeannetje.

Ze stormt haar veertien treden op. De flat ligt te zwijgen van de stilte. Moest er die godverdomse telefoon niet zijn. Ze krijgt weer geen kans haar jas uit te trekken. Ze krijgt weer geen kans om naar de schoorsteenmantel te zien. Ze staat er met haar rug naartoe. Ze ziet de brief niet die in maagdelijke witheid staat te prijken op een zwarte vermoorde kitchschoorsteenmantel. Ersatzmarmer. Basalt.

'Hallo,' zegt ze en ze denkt: Het zal hij wel zijn, om te vragen waar ik de ganse namiddag bleef. *Wrong*. Nóg een dochter. Ze heeft er te weinig rondlopen met een staart.

‘Ma?’

‘Ja.’

‘Nummer drie wil wat vertellen.’

‘Oma, ikke potje kakka edaan.’

‘Flink. Flinke jongen. Oma is blij.’

‘Mama efoon.’

‘Ma, moet ge luisteren. Ik word hier gek. Vannacht weer niet geslapen.’

‘Hoe komt het?’

‘Nummer vier. Bronchitis. En de anderen hebben ook een zware verkoudheid. Hadden de nagels in de muren meer gewicht kunnen verdragen, ik had ze er aangehangen. Vanmorgen kon ik niet uit bed, tot ik nummer één hoorde roepen dat nummer twee de tandpasta aan de muren van de badkamer aan het smeren was. Ge kent dat wel, zeker?’

‘Ik ken dat.’

‘Dan de ganse morgen geween en geklaag; drie kwam met zijn handen vol stront uit zijn pamper mij zijn pakje tonen. Twee had het hem aan de deuren laten smeren. Ik geef hem een pak rammel op zijn kont, mijn handen natuurlijk ook vol en hij roept: *Moe,’k aau.* Hij schopte naar mij in karatestijl, het been opgeheven. Ma, luistert ge nog?’

‘Ja, kind.’

‘Ik heb vandaag nog niks anders gezien dan stront. Stront. Stront aan de knikker. Zegt dat u wat?’

‘Ja, kind, het is zwaar.’

‘Ik ben moe. Een oerstomme situatie. De kinderen maken ruzie, ik maak me kwaad. Zij zijn kwaad omdat ik het ben, ik roep. Zij roepen omdat ik dat doe. Ik word nijdig. Zij zijn nijdig, ik zeg: *Donder op* en ik laat ze elkaar verder de kop inslaan. Ben ik nu een goede moeder of niet?'

'Ge zijt een goede moeder.'

'Gezegend is Karel de Grote.'

'Waarom?'

'Hij heeft de scholen uitgevonden. Waarschijnlijk had hij zelf veel kinderen en die historie met Pepijn de Korte zal daar ook wel voor iets tussen zitten. Ik zal blij zijn, als één en twee kunnen gaan.'

'En nummer vier?'

'De dokter kwam en het is daarom dat ik bel. Ik denk me een abonnement bij hem aan te vragen. Want hun vader zit momenteel weer in het buitenland voor drie dagen – ha, ja, hij heeft promotie.'

'Ja? Proficiat.'

'Ja, en daarom kan ik niet naar de apotheek.'

'Ge zoudt dus graag hebben dat ik het doe?'

'Maar nee, make, ge kunt daar toch geen twintig kilometer voor naar hier komen?'

'Als het moet wel. Ik kan er zijn. Hoe laat is het nu? Kwart voor zes? Tot wanneer is de apotheek open? Tot zeven uur. Dan halen we het nog.'

'Het moet niet, het mag. Maar gaat gij dan geen moeilijkheden hebben met hem?'

'Hij is nog niet hier. Ik leg wel een briefje op tafel.'

'Oké dan. Make.'

Jeannetje legde de hoorn neer. Uitgeput staarde ze door het raam. Wat een rotdag. Van het jaar nul. Gelukkig had hij vandaag blijkbaar veel te doen. Ze had trek in een stevige kop troost. Thermos? Leeg. Een instant-kopje. Water. Ketel. Vuur.

Brief, brief... *Voor Jeannetje.* Het draaide en keerde in haar lijf. Ze scheurde de enveloppe open, las wat er op het kleine briefje stond en zette zich verwezen neer. Het was zover. En wat hij schreef was waarheid, de ganse godverdomse waarheid, die haar als een kreet in de nacht bleef achtervolgen.

'Jeannetje,' herlas ze, 'ik houd van je, dat weet je. Ik houd ontzaggelijk veel van je. Maar ik kan het niet harden, al die problemen. Je hebt de kinderen, je vader en je werk en blijkbaar geen tijd meer voor mij. Heb je mij nodig, je weet me wonen. We blijven even goede vrienden.++++++'

Net een doodseskader, dacht Jeannetje.

Ze liep naar de kast. Zijn beetje eigen goed was weg. Ze liep naar het berghok. Zijn schildersezel was weg. Zijn wandelschoenen ook. Huilen kon ze niet. Ze zat dichtgesnoerd. Het toilet ving haar op. Ze huilde zich langs de onderkant leeg. Bevend nam ze haar sleutels en haar handtas. Goed, hij hield van haar, schreef hij. Goed, ze had veel om handen.

Maar wie vogelvrij is verklaard, heeft geen kans zich te laten horen. Ze liep als in een film. Een met Greta Garbo die voor de gelegenheid een mutsbol droeg.

'O, *shit*, stront, drek, *shit*, *shit* en *shit*,' zei ze.

Het grauwe licht drong door het raam naar binnen.

Moeilijkheden zoveel als ik wil, dacht ze. Misschien krijg ik rust als ik dood ben. Misschien ook niet. Het zou eens waar moeten zijn, dat we in elk volgend leven boeten voor de fouten die we in het vorige maakten. In het hoeveelste zou ik zitten? Waarschijnlijk in het voorlaatste. Dat kan niet anders.

Ik hoop dat ik de volgende keer een man mag zijn, dat mijn klotedochters mannen mogen zijn, of dat de ganse wereld unisex mag zijn, dacht ze. Ja, dat wenste ze en toen reed ze als gek over de baan. De ribbels zeiden almaar doing, doing, doing.

'Doing,' zei Jeannetje.

Want zo platgeslagen kwam ze twintig kilometer verder aan.

En ze ging naar de apotheek voor het zieke kleinkind.

'Duizend driehonderdeenentachtig frank,' zei de apotheker.

'Als het dat maar is,' zei Jeannetje, 'ik moet een cheque uitschrijven!'

'Als het maar betaald wordt,' zei de apotheker.

En haar dochter zei:

'Ma, ge ziet er niet goed uit. Ge zijt zo bleek.'

'Ik voel me niet goed,' zei Jeannetje.

Over de brief zei ze geen woord. Stel dat hij toch terugkwam. Maar hem bellen, zou ze niet. Vanzeleven niet. Wie niet komt, moet niet keren.

Nee, ze bleef niet eten. Ja, ze wou naar huis, zo vlug mogelijk. Ja, voor hem.

Bij de terugrit doingden de ribbels nog harder. Acht uur.

Jeannetje voelde een open plaats in haar maag. Honger. Ze wou niet thuis alleen op een stuk brood zitten kauwen. Kijken hoeveel geld ze nog had. Vijfhonderd. Tweehonderd. Genoeg voor *fast-food* in het centrum. Treurig, die naam: een eendenaam als vermomming voor weinig-eten-en-veel-geld. Ze overwon haar weerzin en stapte binnen. Een man lag bijna plat op zijn stoel en gaapte naar buiten. Hij geeuwde met een mond die zich niet meer zou sluiten voor hij heel *Boris Godoenov* had genoten. Zijn ogen daarentegen vielen als tegenbeweging bij het raamstaren voortdurend open en dicht. Precies klapperende blaffeturen, dacht Jeannetje.

Een lelijke golf trok door haar lijf. Ze rilde. De serveerster had een achterwerk om op te kaarten. Ze droeg een wijde broek, tot net onder de knie. Haar kont leek in dit omhulsel aan de grond te plakken, haar blote kuiten leken twee melkkruiken. Jeannetje dacht: Waarom draagt dit vrouwmens nu in 's hemelsnaam kleren die haar nog dikker maken? Haar maag keerde zich, ze zei: 'Pardon', liet de dikke zonder dunne met haar domme *blocnote* staan en vertrok. De straat op, haar wagentje in. Met een harde slag sloot ze de deur en herademde. Met haar linkeroor ving ze de ritmische basslagen op die uit de omliggende bars waaiden. Haar rechteroor luisterde naar het startsein van haar wagentje, dat vroeg om zo vlug mogelijk thuis te zijn.

'Ik haat mijn wereld,' zei ze tot het stuur, dat haar op dat ogenblik de grens leek tussen zijn en niet-zijn, tussen waanzin en onverschilligheid, tussen onrecht en meedogenloosheid, die in haar maag en rond het stuur een strijd streden. Ze verzamelde al haar moed en probeerde recht te rijden. Op dat moment zag ze bijna te laat een voetganger die plots overstak. Haar remmen gierden. Alle kleppen sloten zich. De vrouw, bruusk haar weg afgesneden, bleef midden op de straat staan. Ze keek Jeannetje hatelijk aan en tikte zich tegen het voorhoofd.

'Ik weet het,' zei Jeannetje, 'dat ik gek ben. Ik had u beter omvergereden.'

Een paar straten verder realiseerde ze zich, dat ze eindelijk in staat was in termen van haat te denken.

'Eindelijk,' zei ze.

Het beeld van de vrouw die zich op het voorhoofd tikte, achtervolgde haar tot ze thuis was, als een rottende paling die zich door haar ogen boorde en haar opvrat met iris en al, maar die haar toch niet belette die ganse godverdomse klotewaarheid te zien. Ze zou voor de zoveelste keer alleen moeten eten, of helemaal niet!

Haat is bedrieglijk, dacht ze, want hij klinkt mij aan de anderen vast. Jeannetje wou zich niet met anderen verbonden voelen. En daarom duwde ze ook angstig die gebeten wrok-bajonetsteken van zich af.

'Ik kan en wil niet haten,' zei ze, 'ik heb met niemand een verbond.'

'Grrr...' zei haar wagentje. Ze had het voor de zoveelste keer geforceerd.

'Als men mensen straffeloos mag forceren,' zei ze tot de hendel, 'dan mag het met machines ook!'

Haar flat lag er verlaten en zwijgzaam bij. Zelfs de planten stonden zwijgend te kraken, toen ze haar overgordijnen langs hen dichtritste. Het laatavondnieuws toch maar opzetten. Georganiseerde misdaad? Goed, dacht ze, we gaan erop vooruit, en ze zapte. Een lieve omroepster deelde mee dat Elisabeth Taylor – voor de achtste keer gehuwd – zo heel erg gelukkig was. Ze zapte naar een volgend kanaal, waar een reporter beweerde dat door een speekseltest bewezen werd dat veel vrouwelijke topatleten in wezen mannen waren, ook al zagen ze eruit als echte vrouwen.

'Ge moogt nog een spleet hebben,' zei ze tot de reporter, 'dan nog zijt ge niet zeker of ge die wel verdient.'

Toen ging ze een potje huilen, met de brief in haar handen. De natte tranen die op het papier vielen, wisten niet eens de tekst uit. Die was met een kogelpen geschreven.

'Snik,' zei Jeannetje.

Ik ben een verliezer, dacht Jeannetje, vanavond zuip ik me een stuk in mijn kraag. En dat deed ze. Toen het middernacht werd, slingerde ze haar laatste bierflesje de lucht in, ving het op en trok de kroonkurk er af. Ze keek naar de lege flessen, naar de flodders van sigarettepeuken in haar asbak en zette zich te wachten tot de muren zouden instorten.

Maar dat gebeurde niet. Toen legde ze zich op de sofa en praatte tegen zichzelf als een zelfmoordpiloot.

'Kamikaze,' zei ze, 'geen man houdt het bij mij uit. Geen man houdt het bij mij uit...'

Lieve hemel, dacht ze, ik ben getikt. Nu had ik wat ik wou, en ik gooide het weg, voor klotekinderen en voor een klotevader.

'Hij heeft me goed in de dut gelaten,' zei ze.

'De ballen,' zei ze en toen werd het donker, zo donker als de nacht maar kan zijn. Een klotenacht. Waarin haar verleden rende als Lange Loo. Nooit meer in te halen. En als die zich draaide, hield hij haar meteen in zijn grauwe poten.

11

Morgenvroeg, vergeet het niet

Als een blok was Jeannetje ingeslapen. Ontwaken was minder drastisch. Haar lichaam kraakte in z'n voegen. Ze liep te zuchten en zichzelf beklagend overzag ze met een tobhoofd haar verleden. Arm Jeannetje. Die *passé composé* was nogal complex! Hij liet haar niet los, als een lelijke tatoeage. Zelfverminking. Nooit meer uit te wissen.

Wat zei haar vriend ook weer?

'Sex is interessant en amusant, maar niet het allerbelangrijkste,' zei hij. 'Ge kunt maanden geen sexleven hebben, zelfs jaren, maar als ik een dag mijn darmen niet kan ledigen, dan ben ik ziek.'

Herinneren we ons nog wat hij die bewuste nacht in bed dacht? Neen? Dan zitten we met een zwak geheugen of met een slechte schrijver...

'Ja,' stemde Jeannetje dan in, 'de waarde van de sex wordt geweldig overschat!'

En ze dacht aan haar talrijke mislukte kansen. Of ze was inderdaad frigide, zo koud als het witte marmer van *Carrara*, of ze was oversekst.

Nadat ze zich had laten scheiden – de eerste keer, de tweede keer – was Jeannetje zwaar op de toer gegaan. Ze had in die woelperiode eens een man ontmoet op een *party*. Gelukkig geen coca-cola-vent. Hij dronk whisky, net als zij. Hij zat voor zich uit te staren en zich te vervelen. De grieten gunde hij geen blik. Hij zat zich smoorlijk te verkniezen en te kieskauwen. Jeannetje zag nog wat gelukkige herinnering van kinderjaren in zijn blik en ze bad dat die van háár jeugd in haar ogen verdwenen waren. Zijn zittend beroep had zijn lichaam omgebouwd tot een ruïne van afgezakte schouders, tot een zijpgat.

Nog een bureaustoel, dacht ze. Hij was meer dan dat. Na navraag bij de feestneuzen hoorde ze dat hij een soort kluizenaar was die dronk en schreef. Een schrijver dus, dacht ze en daar had ze nog nooit mee in bed gelegen. Hij intrigeerde haar.

Ze was naast hem gaan zitten, had hem haar twee borsten aangeboden en hij had er zijn whisky in gegoten. *On the rocks.* Beiden hadden gebruld en het ijs was gebroken.

'Ik houd alle meiden die geen wereldwonder zijn, in de gaten,' zei hij, terwijl hij om een andere whisky knipte.

Hij leek jonger dan Jeannetje, werd al kaal – te veel aan mannelijke hormonen, dacht ze – had een adelaarsneus en vooral koude grijze ogen. Staalharde ogen, die dwars door haar heen keken. Hij leek haar iemand die net als zij al achter de hoek had gekeken en er meer schijt had gezien dan als ge zelf naar het toilet moet.

Hij leek haar verder ongegeneerd en menselijk. En daar wou ze het hebben.

'Is er al iets van u gepubliceerd?' vroeg ze.

'Ja, een roman en een verzenbundel,' zei hij.

'Naam?'

'Onbelangrijk,' zei hij en goot zijn glas in zijn brandend keelgat, want als hij al zoveel gedronken had als zij, dan moest het daar gloedheet zijn.

'Twee whisky,' riep hij en Jeannetje voelde zich al een draaibas die bij een bomwieg stond.

'Laten we het hem smeren,' zei ze.

Hij had een verkreukelde pausmobiel... Bij het instappen zag Jeannetje dat zijn versnellingshendel op één stond geprogrammeerd. En erop bleef staan. Gelukkig geen flikken in de buurt. Een man aan het stuur, dronken weliswaar, maar toch een man. Waar Jeannetje tenslotte behoefte aan had of dacht te hebben. Misschien zat er dit keer een orgasme in.

'Even langsrijden bij een vriend,' zei hij.

'Wie?' vroeg Jeannetje.

'Een mislukte schilder,' zei hij.

Hij stopte voor een herenhuis. Geen bel. Dan maar bonken op de deur. En roepen. De deur ging langzaam open en in het duister kon Jeannetje moeilijk zien of het een man of een vrouw was.

'Kom binnen,' zei de schilder, een te kort afgezaagde boom van een vent.

'Harry,' zei de schrijver – Jeannetje kende nu nog altijd zijn naam niet –, 'ik heb wat moois mee, een ongeschonden mosselsouper.'

'Zitten,' zei Harry.

Hij zette een fles *Johnny Walker* op tafel.

'Drinken,' zei hij.

Hij deed de fles open, goot de glazen vol en Jeannetje kon ze zo vlug niet drinken als hij ze volschonk.

'Ha,' zei hij, 'nu is ze helemaal dronken.'

'Ja,' zei Jeannetje, 'ik ben dronken, ik zal nog dronkerder worden.' Haar tong begon dubbel te slaan. Jeannetje hoorde de twee mannen vaag, ver weg, net of ze in een andere kamer waren.

Jeannetje droomde dat ze in slaap viel en de erotische droom die ze had, beviel haar best. Toch in het begin, toen twee mannen haar ontkleedden. Ze voelde de prikkelende warmte van hun handen. Net of ze geboetseerd werd.

'Laat haar die panty aanhouden,' zei de man, 'dat scheelt een stuk.'

Naakt draaide ze zich in de sofa tussen de kussens, terwijl Harry – dacht ze – terug haar panty aantrok. Ze kreeg een pik in haar mond geduwd, moest pijpen, alhoewel de pik zichzelf over en weer schoof en terwijl voelde ze hoe er iemand in haar lijf drong. En over en weer schoof. Ze kreunde en wou zich lostrekken. De droom was een nachtmerrie geworden. Dit is werk voor carnivoren... dacht ze, voor zover ze nog denken kon.

'Ik stik,' wou ze zeggen.

'Ik kom klaar,' riep er een en Jeannetje slikte.

'Ik ook,' hijgde de andere.

Jeannetje voelde zich een lappenpop. Door haar afgebroken wimpers zag Jeannetje de twee mannen wazig aan.

'Aankleden,' zei Harry.

En Jeannetje kleedde zich aan, al kon ze de panty wel vergeten. Die was stuk en smerig nat.

'Je had wel wat beters kunnen brengen,' zei Harry.

'Ik vond haar wel geschikt,' zei de schrijver.

'Uw naam?' vroeg ze, over en weer schommelend op haar dunne stelten.

'Ik heb een vers als herinnering voor je,' zei de onbekende schrijver en hij stak een papiertje tussen haar borsten.

Toen duwden ze haar met brullen en schimpen de deur uit.

Verwezen staarde Jeannetje naar de gesloten deur. Ze stommelde naar de pausmobiel en trok de versnellingshendel stuk. Waar ze de kracht haalde, mochten de duivels weten maar ze deed het. Langs de kant van de straat zakte ze in elkaar en daar werd ze gevonden door een patrouillewagen die haar een nachtje in het bekende dronkemanskot stak. 's Anderendaags lieten ze haar vrij: proces-verbaal en boete en een kater. En het zweet barstte haar langs alle kanten uit. Maar ze brachten haar met hun combi naar huis. Wat een *service*... dacht ze wazig, met gevoileerde hersenen.

Terug thuis vond Jeannetje het stukje gekreukt papier dat tussen haar borsten stak. – Wie had in het dronkemanskot tussen haar borsten zitten frutselen? – Ze las terwijl ze naar de kraan liep, want haar mond was kurkdroog. Ze moest tenminste niet kotsen; maar haar maag en middenrif leken wel in brand te staan. De tekst schemerde voor haar ogen. Ze hield het papier met bevende handen vast en herlas.

'Zeikerds, schorremorrie, vuilakken,' riep Jeannetje. Noemde die zich een schrijver? Zoiets had ze ook kunnen bedenken. Ze liep naar het raam van de derde verdieping, waar ze toen woonde, en toen het briefje wegwaaide vroeg ze zich af waarom het eerst naar boven wiegde en vloog en pas een hele tijd nadien naar beneden.

'God spot met mij,' zei ze tot de lucht, 'en hij heeft nog gelijk ook.'

Dan ging ze naar het toilet, liet de ganse dunne rotzooi uit haar lijf vloeien en was blij dat ze het thuis had kunnen doen en niet op de brilloze gevangenispot, waar ook de andere klanten meekeken.

Maanden nadien las ze in de krant over de aanhouding van twee mannen. Eén had een kop als Harry en de andere een adelaarsneus om mee over de bergen te vliegen. Verkrachting. Na een party. In het midden van de nacht.

'Hebt ge vanzeleven! Mooi koppel, de bloed*painter* en de pornoschrijver,' zei ze.

In elk geval kende ze nu zijn naam: 'W.C.' Een naam die hem paste als gegoten.

Let wel, met weecee's heb ik iets in dit boek! Maar met al hun allures hadden zij haar niet kunnen bevredigen. Nog met zijn tweeën niet. Ook al waren het moordjongens... Ontzet duwde zich een drukker naar haar aars. Op het toilet kon ze toen aan niks anders denken dan aan haar vader.

'Maar goed dat hij mij bereidwilligheid leerde,' zei ze tot het papier waarmee ze zich reinigde. Ze durfde haar spiegelbeeld niet in de ogen kijken. Die mannen waren nog slechter dan slecht. Slechter dan slecht. Strontzakken. En ze spoelde haar eigen troep door. Hi, hi, hi. De vlotter bleef voor de zoveelste keer hangen. Het water bleef lopen.

'*Shit*,' zei Jeannetje. En daarna waste ze zich helemaal. En die weecee... och, wat liep ze toch te kankeren. Ze had andere dingen aan het hoofd.

Jeannetje zette zich bij het raam. Ze nam een pen en een blad papier en probeerde zich de namen te herinneren van de mannen, waar ze ooit wat mee te maken had. Ze kreeg bijna een appelflauwte. Alleen bij een paar herinnerde ze zich de volledige naam nog. Bij anderen enkel de voornaam. Bij sommigen helemaal geen naam. De vergeten namen noteerde ze dan maar met karakteristieken: baard, snor, Clark Gable, econoom of iets dergelijks, arts, neen: internist was beter.

Beschaamd moest ze bekennen dat die mannen niets anders betekend hadden dan wat erotiek. Wraak, dacht ze. Ik zat al die tijd met haat in me en ik wist het niet.

En plotseling besefte Jeannetje, daar met dat papier bij het raam, dat ze zich had vergist. Ondanks al haar liefdeshistories was haar mensenkennis niet vergroot. Integendeel. Ze had zich al die verleden tijd in de veronderstelling gehuld dat haar leven afwisselend en rijk was geweest terwijl ze enkel een roeper in de woestijn werd. En hoe zou een verleden u achtervolgen als er alleen woestijn te zien is waar de wind stuifzand opjaagt en enkel wat flarden altijd-hetzelfde landschap laat zien?

Jeannetje kwam tot de onthutsende constatatie dat haar geheugen niets had gefilmd. Een paar armzalige kiekjes bleven over. Had ze daaraan al haar krachten verspild? Ze voelde zich een gatontstopper. Met afschuw gooide ze het blad weg, zocht zich een plaat uit en luisterde naar *Für Elise* van Chopin. Dat had ze tenminste ooit nog behoorlijk kunnen spelen. De muziek klonk als een dichtslaande deur achter de illusie van de liefde.

Ze liep naar buiten, haar tuintje in, dat voorschootje dat er wel groen bijligt maar waar het gras alleen onder de waslijn tussen twee geroeste betonpalen hoog opschiet. En plots zag ze, zomaar, vlak voor haar voeten, sneeuwklokjes. Jeannetje herademde. De lente was daar: ze hing nog niet in de lucht maar stak toch al in de grond.

Een buurkind, een kleinkind, liep ook buiten. Het leek te spelen, want het hield zich aan een ijzeren paal vast, deed alsof de handjes samengebonden waren. Het zag Jeannetje naar de klokjes kijken, dacht dat het naar de grond was dat ze keek, want achter die hoge haag kon het de lentekelkjes niet vermoeden; en bij hen groeide er niets: daar lagen plankiertegels om te schrobben; maar het ging zo in het spel op, dat het eigenlijk Jeannetje niet in de gaten had.

Jeannetje hoorde het kind praten. Een stem die ze herkende, als was zij het die daar aan die paal hing. Gebonden. Lang geleden. Ze was het eigenlijk vergeten. Maar daar was het weer. Opzettelijk. Scherp. Pijnlijk. Alsof er aan haar botten werd geknaagd. Met frettanden. Jeannetje trad uit zichzelf. Ze werd weer een kind. Een klein kind, een spelend meisje. Door de betonpalen heen klikte zich haar *view-master*.

Ik zie zijn bittere lach. Ik voel de spankracht van zijn macht, de kilte van het ijzeren bed. Mezelf zie ik liggen met benen als die van het lam. Met daartussen de schede die nog gebaand moet worden. Niet op zijn Sint-Valentijns, maar in razernij. Sluw berekend. Levensgevaarlijk als zat ik in een torpedoboot. Mijn stem is verschrikkelijk zwak, door de tijd, door de lucht en de angst gesmoord. De zijne is zo vol als een varkensblaas. Hij schreeuwt om de pijnlijke stijfheid van zijn lid. Hij schuift zijn stekel naar buiten, als was hij de bij die honing zoekt. Ik lig in een kist, met gesteven lakens. Mijn doorgezakte, haren matras duwt zichzelf in het midden een put. De lelijke vorm bovenop mij is die van een monster met klauwnagels... Mijn witte wollen tabbaard is kletsnat. De gulp heeft maar twee knopen. Op de plaats waar de derde zat, hangen draadplukken. Hij duwt mij met zijn twee handen, nog dieper naar beneden. Ik kan niet ademen. Hij hijgt met korte stoten. De doodslust heeft hem beet. Het plafond is blauw en draait, komt niet tot staan. Het is de kleinste kamer die er bestaat. Hebzucht dringt in mijn gezicht. Zijn fluit past niet in mijn mond.

Zijn handen maken mij vochtig, tussen mijn benen wordt het nat. Ik zeik. Hij houdt mijn arm. Ik draai en keer, mijn voeten schoppen tegen de muur, aan de zijkant waarlangs mijn bed staat. Ik krijg geen tijd de ogen neer te slaan. Zijn mond staat open, hij kwijlt. De zever loopt langs de plooien rond zijn mond en naar zijn kin. Ik plooi onder zijn kracht en kreun. Het lawaai wordt een gebroken dreunmelodie. Knallend spatten rotsblokken open in mijn hoofd. Daartussen zit zijn lul, die zichzelf niet in twijfel trekt. Hij wil en zal. Het is alsof hij dronken is. De stekels haar blijven tussen mijn tanden zitten. Hij wankelt heen en weer. Voor het raam hangt een wit kanten gordijn, met kleine gaatjes. Onbeweeglijk. Zijn rechterhand schuift zich van mijn benen weg, gaat naar mijn heup. Hij heft zich en verlaat mijn mond. Ik roep. De hand verlaat mijn arm en drukt zich tegen mijn lippen. Mijn slaapkleed trekt hij krampachtig over mijn hoofd. Ik lig naakt. En zwijg, ook als zijn hand slap geworden is. De schedel bijt zich vast in mijn schaamhaartjes, die als vreemde inplantingen uit mijn huid schoten. Op mijn kleine heuvel groeit niet veel, er is de beperking van de jaren. Zijn hoofd heft zich. Hij knijpt in mijn achterwerk. Mijn hoofd wordt naar achteren getrokken, mijn nek knikt met een stil geluid; onhandig en onwillig. Hij gaat helemaal alleen door. Met zijn gewicht houdt hij mij onder. Ik splijt. Ik schuur en brand. Ik draag zandkorrels. De natuur heeft zich niet vergist. De zandvlakte ligt voor de zee. Hij schrokt, haalt adem, haalt het verlengde van zijn lijf uit mij en met de ogen dicht bespeelt hij nu zichzelf. Ik kots, ik huil. Mijn hond, die voor de deur ligt, jankt. De witte straal stinkt en walmt een zoete onbekende geur, die mijn maag tot op mijn tong laat komen. Woedend dwingt hij mij zijn krimpende piemel vast te nemen en de gladheid ervan doet mij rillen. Ik huil zonder geluid, houd mijn ene arm over mijn gezicht. De andere staat stijf van het geplakt zaad. Hij stelt zich recht, neemt mijn nachtkleed van tussen mijn pantoffels en zijn ogen dwingen mij het aan te trekken. Hij huilt ook. Onze wangen zijn nat van stille tranen. Hij steekt zijn hemd in zijn broek, sluit de twee knopen van zijn zwarte gulp en wendt het hoofd, naar het raam. Hij duwt de klink naar beneden, sleurt het oude hout piepend uit de gleuven, heft het gordijn, dat tussen de opening naar binnen waait. Als het bolle zeil van een schip. De koude komt de kamer in en de buitenlucht verdrijft de zwoele geur die in mijn kamer hangt

'Maak het bed op,' zegt hij. Kalm en ook kwaad. Zijn handen beven.

'Stil,' roept hij tegen mijn hond.

Ik verstop me onder de dekens. Hij verlaat de kamer, de hond loopt met hem de trap af. Ik hoor de poten krauwen op het hout.

Buurman roept op zijn duiven: 'Hoi, hoi, hoi.'

Het huis is stil. De muren snijden. Ik begin te bidden.

'Heilige Maria, moeder Gods... Gezegend zijt gij onder alle vrouwen en gezegend is de vrucht van uw lichaam... Onze vader die in de hemelen zijt, geheiligd zij uw naam, uw rijk kome, uw wil geschiede...' Ik verlies mijn woorden.

Ik draag het laatst geleerde vers voor. Luidop tegen de kleerkast en de spiegel sprekend.

'Hoor hoe 't waait,' zei Frans tot Piet,
'Morgenvroeg, vergeet het niet,
vallen er noten te rapen.'
'Goed,' zei Piet, 'ze zullen smaken.'

Maar de luierik lag te geeuwen en te gapen,
terwijl zijn broer die vlugger was,
in het malse gras met dikke kaken
al de noten lag te kraken.
'Piet,' zei Frans, 'vergooit zijn kans.
Ik zal maar smullen, hij kan met
schelpen zijn lege zakken vullen.'

Mijn woorden vullen de leegte, ze zijn gelijkmatig van klank, effen en gestreken. Ik hoor mijn moeder. Ze is thuis.

'Make,' zeg ik, 'laat me nooit meer met hem alleen.'

Ik kruip uit bed, sluip naar de overloop. Het tussenverdiep.

'Ze is beter,' zegt hij, 'alhoewel ik haar nog heb horen ijlen.'

'Ik zal eens gaan zien,' zegt mijn moeder.

Ik ren de trap op, sluit de deur; bevend hoor ik haar schemerstap naderen.

'Neen, ma,' roep ik van binnen. Ze staat bij mijn bed. Ik houd de ogen dicht en doe alsof ik slaap. Haar koude hand voelt mijn voorhoofd en mijn keel. Ze schikt mijn bovenlaken, trekt de overgordijnen dicht. Het licht valt weg. Op de punten van de tenen verlaat ze de kamer. De deur klikt zacht in het slot. De trap daalt. Ik prevel een aftelrijmpje: 'De boer die plant een boom, in die boom is een gat, in dat gat ligt een ei, in dat ei steekt een brief, wie is uw lief?'

Mijn zakdoek haal ik van onder mijn hoofdkussen, steek die tussen mijn benen en knijp. Het branden houdt niet op. Ik sta in vuur. Ik ben hol en uitgeblust en brand weer.

De muren zijn stom, het huis zonder geluid. De avondtrein vertelt dat het tien uur is. En buiten loopt de zwarte nacht. Het laken onder mij wordt rood.

Jeannetje voelde het kloppen op haar wangen. Ze opende de ogen en keek in die van de buurvrouw, de grootmoeder van het kleine meisje. De buurvrouw van op de hoek. Haar haren zijn koperrood en blinken.

'Wat is er gebeurd?' vroeg ze.

Jeannetje hief zich op, steunend op de ellebogen. Haar hoofd deed vanachter pijn.

'Ik moet flauwgevallen zijn,' zei Jeannetje.

'Dat is van de voorjaarslucht,' zei de buurvrouw, 'je zit te veel binnen.'

'Kijk eens,' zei het kleinkind, 'er staan hier bloempjes.'

'Dat zijn sneeuwklokjes,' zei Jeannetje en ze leunde tegen de haag.

De buurvrouw keek haar bezorgd aan, ze droeg de schort opgeheven tussen haar twee handen. Het gebaar van vrouwelijke moederlijke betrokkenheid.

'Gaat het?' vroeg ze.

'Ja,' zei Jeannetje.

'Waarom zeggen ze daar sneeuwklokjes tegen?' vroeg het kleinkind.

'Het mag nog tien centimeter hoog sneeuwen, die bloempjes steken toch opnieuw hun kopje op,' fluisterde Jeannetje.

'Wat zegt ze?' vroeg het kind haar oma.

'Dat het nu nog mag sneeuwen. Die bloempjes overleven toch,' herhaalde de buurvrouw.

'Zijn die dan zo sterk?' drong het kind aan.

'Die zijn klein en toch sterk,' zei Jeannetje zacht. Ze verliet het tuintje, de twee achter zich aan. Het ijzeren hekje sleepte over de grond.

'Zal het nu verder goed gaan?' vroeg de oma.

'Oh, jawel,' zei Jeannetje, 'bedankt.'

'Bel liefst de dokter,' wist de buurvrouw.

'Dat zal ik doen,' zei Jeannetje, 'nog eens bedankt.'

'Hoe is de naam van die mevrouw?' hoorde Jeannetje het kind nog vragen. Angstig nieuwsgierig...

'Jeannetje,' zei haar buurvrouw en hand in hand liepen ze naar het huis dat als een uitkijkpost op de hoek stond.

'Ze riep Anne,' weerlegde het kind.

'Dat was iemand die ze kende,' was het stille antwoord, 'voor dat...' De rest kon Jeannetje niet meer horen. De deur sloeg dicht.

Jeannetje liep de trap op. Uit de kast nam ze een fotoalbum. Ze bladerde erin. Tussen haar moeder en vader in keek ze naar de fotograaf. De hand van haar vader rustte op haar schouder. Een leven in een knip vastgelegd, een ogenblik van weten. Haar moeder lachte, haar vader ook. Op wie leek ze nu?

Toen leek ze op hem. Zwart, ontoegankelijk, de blik van een zigeunerkind...

In de spiegel merkte Jeannetje dat ze meer en meer – met het vorderen van de jaren – op haar moeder begon te lijken. Het leven had haar niet gespaard. Dat zag Jeannetje aan de groeven rond de mond.

'Moederlief,' zei Jeannetje en ze klapte dicht.

12

Bij haar waren het voeten

Ge hebt een ganse morgen verloren door u opnieuw te laten inschrijven bij huisvestingsmaatschappijen. Sociale. Flats met een huishuur om van omver te stuiken als een *alikas*, in de tijd dat ge nog knikkerde. Maar ge moet. Want ge zit te krotten zonder badkamer, ge stookt u zo zot dat ge een punthoofd krijgt als ge de rekeningen ziet en om naar het toilet – hier komt het weer – te gaan, moet ge eerst dertig centimeter krimpen.

Want de stad gaf u een kinderweecee. Uit een of ander kinderschooltje of dagkribbe. Een kindertoilet uit een kindertijd die ge maar liefst vergeten wilt.

Ge kunt uw gang niet verven of behangen, want de putten in de muren zijn zo diep dat ge ze niet kunt dichten, nog met geen zeven mortelkuipen. En ge zoudt niet weten hoe ge die mortel moet strijken, want zo'n palet ligt in uw handen alsof ge van een sneeuwbal een lawine zoudt moeten maken...

Verdomme. Ge kunt geen jaren meer wachten: die gang maakt u *crazy*. Als ge die voordeur opendoet, voelt ge u een Koerd. En op het toilet krijgt ge er geen keutel uit, want ge kunt uw middenrif niet laten werken, zo dubbelgeplooid als ge daar verkrampt zit. Het is niet moeilijk zo, om voortdurend met constipatie te lopen. In het advertentieblad stond een klusjesman die ge hebt opgebeld en die is komen kijken.

'Madammeke,' zei hij, 'daar is geen beginnen aan. Dat gaat u zeker zo'n veertigduizend frank kosten; ik zie dat ge ook maar een werkmens zijt, dus begin daar niet aan.'

En dan hebt ge alles uitgerekend. 't Is waar, ge woont spotgoedkoop. Gelijk in veertien-achttien. En als puntje bij paaltje komt, zit ge ook met een geverfde gang nog altijd met versteven benen achter uw klavier en staat ge nog te dudderen als ge u aan de gootsteen wast.

De wind waait langs alle spleten, uw ruiten bedampen zelfs als ge maar een ketel water op het vuur zet en het stinkt in alle plaatsen naar de dood. Het ruikt in elk geval muf. Ge moogt nog zoveel verstuiven als ge wilt en kunt, het blijft stinken. En die spuitbussen dennenbosgeur zijn bijlange niet goedkoop. Het is al genoeg dat er in uw kindertoilet eentje hangt. Een mimosageur die ge, ge weet niet om welke specifieke reden, hebt gekocht. Misschien omdat er op de bus kleine gele bloemen stonden, die u aan de zon deden denken?

Want aan de zon denkt ge veel en ge zoudt van de zomer wel eens op een terras willen liggen zonnen. Zoals zoveel madammen doen. Zelfs in monokini, moest ge afgeschermd kunnen liggen. Maar sociale woningen zijn daar niet op berekend. Ge weet niet hoeveel papieren ge in elk bureau hebt moeten afgeven; alles moesten ze weten. Opnieuw. Inkomsten, kinderen, gescheiden, handicap want ha ja, dat is allemaal belangrijk om vermindering te kunnen krijgen op de basishuurprijs. En ge had nog geluk onder de inkomensgrens te blijven: anders had ge zelfs niet zo'n formulier nummer vierhonderd achtenzestig gekregen. Zoals bij de inlichtingendienst van de telefoon:

‘Even geduld, blijf aan uw toestel, er zijn nog vierhonderd wachtenden voor u.’

En ieder bewijs in uw dossier was gebrandmerkt door fiscale zegels, zodat die inschrijvingsaffaire u zo’n tweeduizend frank kostte. Maar ge zijt tenslotte sociaal en de gemeente mag er ook wat aan verdienen. Ze willen de armoedegrens inderdaad verleggen en ge zoudt daar volledig mee akkoord kunnen gaan, had ge toevallig niet vernomen dat Constant, die bij de spoorweg een vaste plaats heeft, en zijn vrouw die werkt als loketbeambte bij de post, dat die wél een sociaal appartement kregen met nog een tweede slaapkamer erbij omdat zij een kleinkind hebben, terwijl gij met uw gehandicapte dochter in de weekends en tijdens de vakanties op een booreiland zit. Want ge kunt met dat kind die trap niet af of niet op. En door de plankenvloer stampt ze met haar zware voeten de luster van uw onderbuurvrouw naar beneden, die dan roept en tiert:

‘Zal ’t daar al wel gaan?’

En gij met uw zeven hottentotten van nakomelingen kunt aan geen eentje vragen:

‘Toe, blijf eens bij mij slapen?’

En om al die redenen zijt ge van die inschrijvingen naar huis gekomen met zo’n gevoel van een vette vod in uw maag. Want waarschijnlijk krijgt ge weer een wachttijd van twee jaren...

En toch was die tijd in die overvolle wachtzalen niet helemaal verloren, want terwijl ge zat te wachten tot het uw beurt was, dacht ge aan Jeannetje en nog meer aan Anne.

Ge kunt niet goed overweg met dat mens. Ze heeft te veel wraakgevoelens in zich. Ze is een dubieus geval. Ze kan haar vader toch ook vermoorden – als het dat is wat haar bezighoudt – zonder haar kind daarvoor in de steek te laten? Of hebt ge misschien onbewust willen aantonen dat ze geen greintje gevoel meer heeft, alleen omdat haar vader zich aan haar heeft vergrepen?

Ja, dat hebt ge daarmee willen bewijzen: dat ze zonder hart zit.

Wie laat nu zijn kind in de steek om een vader te vermoorden?

Ge zult de zaak voor haar moeten oplossen.

Ge hebt erover zitten denken – terwijl iemand aan u vroeg: 'Hoe laat is het, ze schrijven hier maar in tot twaalf uur zeker?' – hoe ge op een gemakkelijke manier die ganse rataplan kunt oplossen zonder dat er een moord moet gebeuren. Want daarvan hebt ge geen verstand. Van zelfmoord wel.

En terwijl ge dat allemaal overweegt, beseft ge plots dat ge eigenlijk een soort handleiding zit te maken over hoe een roman tot stand komt. Ge laat veel te veel in uw kaarten kijken, waar geen azen tussenzitten.

En ge schudt het hoofd. Ge zijt erdoor in de war gebracht en ge steekt het licht aan zonder het te weten. En als de lamp aanpinkt, die met een vertraagde starter zit, van ouderdom en ook omdat het hier in uw werkkamer om te bevriezen is door dat schijnheilig vuur en al die tochtspleten in uw vensters van voor de oorlog, treft u dat, want ge begint al dingen te doen in automatische gebaren terwijl het bijlange nog niet donker is en ge nog geen licht nodig hebt.

Maar het volgende ogenblik beseft ge dat dit gebaar, waar ze in de psychologie een bijzondere term voor hebben, eigenlijk een onbewust gebaar was. Want misschien hebt ge in een opwelling gedacht – in uw onderbewustzijn – dat er licht nodig was om uit die verkeerde draai te geraken, waarin ge door Anne verzeild zijt geraakt. En ge beseft door dat simpele gebaar van onnodig licht aansteken, dat die Anne wel eens iemand zou kunnen zijn die gedachteloos leeft, die niet verder keek dan haar neus lang was toen ze haar man en kind in de steek liet.

Kijk, zegt ge tegen uzelf, ge zijt eigenlijk niet veel beter dan Anne, want uw handen deden iets terwijl uw gedachten elders waren. En zo zal het haar ook wel vergaan zijn. Haar gedachten waren bij een probleem dat ze niet kon inschatten of plaatsen, en nog minder beheersen, en daarom is ze weggegaan. Bij u waren het handen, bij haar waren het voeten.

En och guttekes, ge zit dat mens al te verdedigen, zozeer hebt ge haar al ingeslikt. Gij, met uw fantasie altijd...

En ge denkt er ook aan dat ge u in de wereld van vandaag, zoals in die van uw verleden, moet kunnen aanpassen.

Want hebt ge dat vanmorgen met die formulieren ook niet moeten doen? Maar vooruit met de geit, die ge zelf zijt. Ge hebt Anne als slachtoffer gekozen en het verhaal moet zijn beloop hebben.

En ge zet u recht, ge rolt een nieuwe sigaret, ge drinkt een kop koffie en ge denkt. Met de ogen naar de grond. Ge moet en ge zult die roman ineenflippen, al moest ge erbij neervallen. Een roman die er een zou moeten worden vol bitterheid en rancune, vol sensatie, op zoek naar de menselijke drijfveer die incest zo gruwelijk maakt, moest ge zelf niet zo'n kei zijn geworden, waar geen vel meer is af te stropen, zoals ze bij ons zeggen.

'Een kei zonder vel kunt ge niet stropen,' zegt Jeannetje in haar werkmanstaal.

En terwijl ge met uw kop naar de grond kijkt, ziet ge de twee benen van Jeannetje. Met de kont in de hoogte staat ze de plinten af te stoffen. Verwijlend zegt ze stil:

'Dat moet toch gemakkelijk zijn, als ge zoveel algemene ontwikkeling hebt. Als ge bijvoorbeeld verwekt zijt door een professor, als ge universiteit hebt mogen doen, als ge niet zo van kleine komaf zijt zoals ik. Ik voel mij verpletterd door al die geleerdheid.'

'Het jaar van de aap is vandaag begonnen,' zegt ge en ge lacht en ge luistert naar de gesmoorde stem van Jeannetje die over haar grootouders vertelt. En ge kijkt haar mistroostig aan.

Jeannetje, denkt ge, als ik klaar ben met Anne zal ik dat verhaal van uw afkomst eens deftig proberen te formuleren.

Dat rijmt nog ook, denkt ge.

Ge laat Jeannetje waar ze goed voor is en ge zet u weer eens achter uw machine, die zojuist *Please wait* zei en ge wacht dus op de cursor, maar waarom die machine zojuist *Please wait* heeft gezegd, is u totaal ontgaan.

Ge zult wel weer op de verkeerde toets hebben geduwd.

Dat is pas klare taal. Want die grote schrijver daar, die in al zijn ellende op zijn zolderkamer wereldliteratuur zat te schrijven, moest niet zitten wachten op een geblokkeerde cursor; die man schreef met verkleumde vingers, die hij met zijn eigen adem opwarmde, het prachtigste boek dat al geschreven werd. Hij dacht er zelfs niet aan zich te laten inschrijven voor een sociale woning, hoewel die in die tijd misschien nog niet bestonden.

Dat bewijst dan toch dat we er een beetje op vooruit zijn gegaan en bovendien bewijst het dat gij nooit zo'n groot schrijver zult worden. Gij kunt dat niet, met verstijfde benen en vingers zitten werken aan een roman, waarvoor ge al tien slotafleveringen hebt bedacht en waarvoor ge al tien pakken sigaretten hebt moeten roken. Zoveel dat uw hart uit zijn karkas wilde springen.

Want dat slot dat ge daarnet hebt bedacht, terwijl Jeannetje aan het kuisen was, zal wel weer bij de hoop 'afgekeurd' gegooid worden, omdat ge weet, in het diepste van uw diepte, dat ge door die incestproblematiek goed met slecht zijt gaan verwarren. En al komt Anne eraan met een geschonden leven, al heeft ze zich door haar vader laten doen... dan is dat nog geen reden om het mes erin te zetten. Opdat ge eindelijk zoudt mogen ontdekken of ze wel degelijk zo'n geblesseerd slachtoffer is als de maatschappij van haar maakt! Want ge vermoedt dat zij in het diepst van haar gedachten – wat u aan Kloos doet denken – schromelijk overdrijft.

Ze zou zich, liever dan een beluikhuis te huren, ook beter laten inschrijven op de ellenlange wachtlijst voor de sociale woningen. Dan zou ze misschien weer met haar twee voeten op de grond komen! En met haar achterwerk op een kinderpot zitten. En geen constipatie hebben. En minder moeten overgeven.

13

Is het niet door de ene, het zal door de andere zijn

Als kind had Anne geen naam voor haar gevoel. Ze was als een contactdoos zonder aansluitingen.

Haar moeder werd door haar werk opgeslorpt. Buiten de schoolrapporten en de sociale omgang had Anne niet echt het gevoel dat haar moeder van haar hield.

Haar opvoeding was aardig streng geweest. Haar wereld was klein en gesloten. Er stonden wachters voor Annes lippen. En die waren er blijven staan.

Voor ze Joris naar huis terugbracht, waren ze samen eerst nog naar de rivier gewandeld. Een grijs gevaarte met masten en kranen kwam langzaam naar hen toe gedreven. Zwijgend volgden ze alletwee het ronkend lawaaigeploeg tegen de zwarte watermassa. Een streep olie rolde over de golven. Links schoof een grote muur tussen de einder en de kade. Op het water liepen lichtjes, met natte voeten.

'We gaan als dat schip voorbij is,' zei Anne.

Maar ze kwam er niet toe zich te bewegen. Ook toen de kabbelingen in het water effen waren geglooid. Vanuit haar ooghoeken keek ze naar Joris. Zijn haar blonk bijna in het donker. Wat zat er onder dat haar, in dat kleine hoofd? Kon ze maar zijn gedachten raken, weten wat hem ontroerde, hoe ver hij al kon denken, de woorden horen die hij haar wou zeggen maar die blijkbaar geen weg vonden. Ze rilde. Ze zaten maar wat te zitten, kouwelijk en verkleumd. Anne wou dit moment voor altijd bewaren en koesteren.

'Mooi,' zuchtte Joris.

'Mooi,' zei Anne.

'Papa zegt dat jouw vader je ooit sexueel misbruikt heeft, toen je zo oud was als ik nu ben,' zei Joris bijna onhoorbaar.

Anne schrok. Wist het kind zoveel of had zij niet gemerkt dat hij geen kind meer was.

'Ja,' zei ze.

'Erg?'

'Heel erg.'

'Als je dan zo boos op hem bent, waarom loop je er dan altijd heen?'

'Omdat ik wil weten of ik het ooit kan vergeten en vergeven,' loog ze.

'Je hoeft zoiets toch niet te vergeven, je moet het wel kunnen vergeten,' zei Joris en hij stelde zich recht.

In een miezerige regen liepen ze naar huis. In een gewrongen stilte wandelden ze naast elkaar. Bij het huis gaf Joris haar een wangzoen. En zij hem. Het huilen stond hem na.

'Dag, mama.'

'Dag, Joris.'

'Volgende week?'

'Misschien.'

'Bellen?'

'Beloof me dat je altijd veel van papa zult blijven houden!'

'Ja,' zei Joris.

'En dat je nooit boos op mij zult zijn, wat ik ook doe.'

Joris gaf geen antwoord en vluchtte het huis in.

De deur viel dicht. Gerrit stond achter het raam. Hij zwaaide. Ze zwaaide afgemeten terug. Een donkere wolk trok over haar gelaat. Ze wou niet denken...

De handen van Gerrit die hij naar haar uitstrekte, die haar wilden aaien, die haar naar bed droegen in de tijd dat ze pas gehuwd waren. Het waas van het alleenzijn trok zich dichter rondom haar. Het verdriet zat in haar. In doosjes. En ernaast een zakje met verbittering. Een pakje voor de afzondering. De doosjes hebben hun sleutels nog in het slot zitten. En rond het pakje zat een touw. En het zakje was hermetisch gesloten. Anne verdwaalde in haar hoofd. Ze zag haar vader. Zijn mond bewoog alsof hij iets wou zeggen. Zijn handen lagen zonder te bewegen in zijn schoot. Hij staarde en kwijlde... Ze moest hier uit, weg van die obsessie!

Anne vluchtte de straat op. Ze liep een paar haltes te ver voor ze de bus nam. Haar lange, wijde regenjas trok ze als een schild rond zich.

Thuis vond ze op de grond een witte omslag, die zomaar onder de deur was geschoven. Iemand had er haar naam op geschreven. *Voor Anne* stond er. In de enveloppe stak een witte kaart met enkele woorden. Anne las en herlas en las en herlas. Drie woorden.

Drie eenvoudige woorden: 'Anne, vergeef me.'

Met de kaart in de handen ging ze naar bed. Ze legde die onder haar matras. De uren vulden zich met trage minuten. Tussen haarzelf en de wereld voelde Anne een dikke muur van eenzaamheid en onbegrip. Ze wou ergens heen, maar wist niet waar naartoe. Ze daalde in een ijzige stilte en viel in slaap op een verlaten terrein waar kleine heuveltjes tegen haar voeten botsten. Ze viel.

Het kleine meisje dat haar stond aan te kijken, was blootsvoets en had een schraal, bleek gezicht. In haar kleine witte handen droeg ze een palmtak. In de verte hoorde ze het naderen van roffelende trommen, roffelend, roffelend. De maan reed door het avondlicht en stak de randen van de wolken in brand. Schuin uit de hemel gleed een schaduw naar de kant van het terrein, een kleine muis ontsnapte uit de klauwen van een uil. Ze huiverde.

'Kom,' zei het kind, 'ik zal je helpen rechtstaan.'

Nog even ging het wolkendek open en herhaalde zich het vuurrode licht. Hand in hand liep het kind met haar over het terrein en waarschuwde haar voor de heuveltjes.

Anne glimlachte.

Het roffelen was opgehouden. De wolken dreven over. Een nachtvlinder sloeg blauw de vleugels heen en weer.

'Hij zoekt het geluk,' zei het kind.

'Ja,' zei ze, 'hij zoekt het geluk!'

'Waar kun je dat vinden?' vroeg Anne.

'Daar waar de lucht altijd blauw is, waar er niets anders is dan stilte en waar je opgelost wordt in het niets,' zei het kind.

Het liet haar hand los en verdween.

De nacht huilde om de dromen die zich opstapelden, elke keer weer. Er kwam geen einde aan die nachtmerrie, elke nacht opnieuw...

De morgen was stom, toen Anne op weg ging...

Naast het rusthuis stonden zwarte bultige stronken. Bladeren wervelden rond, gewichtsloos. Ze vielen voor de voeten van Anne. Haar hart lag beverig samengetrokken in haar ribbenkast. Pijnlijk. Haar hand voelde de kaart in haar jaszak.

Joris zet zijn voeten bij het lopen schuin op de grond, dacht ze, en ik doe dat ook. Anne liep naar de ingang. De nachtwaker zat achter de tafel in de receptie. Hij geeuwde. Zijn adem sloeg in Annes gezicht. Hij stonk naar drank.

'Ik heb gisteren een brief onder de deur geschoven,' walmde hij.

De werkster stofte de trap af, met een droge bezem. Ze liet Anne voorbijgaan. Ze knikte. Anne knikte terug. Het gat op haar tong begon zich traag te vullen met speeksel. Haar lippen brandden en zeiden iets. Wat ze zeiden, was alleen een spreken met zichzelf. In haar eigen voorhoofd.

Door het raam op de grote overloop hoorde Anne de blaren ruisen. Ze liep naar de kamer van haar vader. Zijn ontbijt stond op het kleine tafeltje, onaangeroerd. Anne bleef in de deuropening staan.

'Vader,' zei ze.

Doodstil bleef hij zitten. Ze naderde. Hij bleef roerloos zitten. Hij keek haar aan.

Anne nam een boterham en stak die in zijn handen.

'Eten?' vroeg hij.

Ze knikte. Haar regenjas woog loodzwaar. Haar benen trilden, haar schoenen kleefden aan de vloer.

De mond van haar vader stond open. Over zijn wangen rolden tranen. Hij keek haar recht in het gelaat.

Anne nam hem bij zijn schouders. De gloed van haar voorhoofd brandde in haar ogen. Haar tong drukte zwaar in haar mond. Ze voelde hoe de seconden aan haar regenjas trokken.

'Ik vergeef je,' zei ze.

Hij stak de boterham in zijn mond en kauwde traag het brooddeeg tussen zijn kiezen.

'Je zult mij nooit meer zien,' zei ze.

Hij kauwde door. De tranen aten mee in zijn mond.

'Dan ga ik maar,' zei ze.

Anne keek niet meer om toen ze naar de deur liep.

De weg terug was lang en stil. De meeste huizen sliepen nog.

Op straat sprak ze tegen de kastanjebomen en tegen de mussen. Ze schudde de haren. Als een paard zijn manen. Het briefje in haar jaszak gooide ze in een riool. Het viel zwaar en snel in het zwarte gat. De wind blies in haar gezicht. Haar handen waren ijskoud.

Ze liep naar de rivier. Ze staarde naar het donkere water en ze sprong, de armen opgeheven naar de hemel.

'Daar sprong een wijf, verdomme,' hoorde ze een schipper nog schreeuwen.

De klok tikt woordenloze seconden, op aarde zoals in de hemel.

Gedaan. Gedaan verdomme.

'Dat wraakzuchtig wijf, dat Gerrit zijn leven lang met een schuldgevoel zal laten dolen. Kan het haar schelen dat Joris nooit een Jackietje van de hoek zal worden, die de speelvogel en de belhamel is van die ellendige bomenstraat waar hij woont?' roept Jeannetje, als ze het stuk leest dat ge zopas hebt geschreven. Een soort herinneringstest. Want Jeannetje heeft u eigenlijk over Anne verteld. Indertijd zat ze samen met haar in de zelfhulpgroep incestslachtoffers. Zo zei ze. Maar haar ogen verraadden dat ze loog. Misschien, misschien ook niet. Jeannetje kan zo onberekenbaar zijn.

'Om en bij,' noemt ze het.

Anne was een verloren schaap, waarnaar geen enkele herder zocht. Omdat er geen meer zijn. Of toch wel... een zekere Vercruysse, maar die trekt met zijn schapen de grens over. Omdat het gras daar groener is. Zo zei Jeannetje.

Ge voelt u een verklikker. Alsof ge Anne hebt verkocht. Voor de prijs van een sensatieblad. Terwijl een leven nooit te betalen is. Jeannetje denkt er het hare van. Dat vertelden haar ogen, die vol tranen stonden.

Het is in geen goede aarde gevallen bij Jeannetje. Ze kan zo streng zijn in haar oordeel. Ze is soms zo wijs als Salomons kat.

'Ze had geen ruggegraat,' zei Jeannetje.

'Sommigen zijn liever dood,' weerlegde ik.

'Mijn oren, Pierrot,' zei Jeannetje, 'dan had ze dat maar eerder moeten doen. Denkt ge dan dat het aangenaam was op haar begrafenis en dat kind te zien en die ontredderde man?'

'Heden is van ons weggegaan...' schreeuwde Jeannetje tegen mijn muren. Die zwegen. Haar stem bleef bij de foto hangen waarop ik lang geleden met mijn ouders gekiekt werd.

En mijn buurvrouw stampte haar veegborstel tegen mijn plafond.

'Kom Jeannetje,' zei ik, 'doe de boeken maar toe en vergeet het.'

'Hoe kan ik dat, als gij erover schrijft?' zei ze stil. En ze beefde.

'Ik weet het,' zei ik ook heel zacht, 'herinneringen kunnen snijden. In twee.'

'Ja,' zei ze en ze poetste verder.

Het was lang geleden dat mijn koper nog zo geblonken had. Want daarop had Jeannetje zich met man en macht gegooid en met een bus *Sidol* en een warme wollen vod:

een stuk van een oude trui uit de tijd toen ik nog kon breien. Het was er dan nog een van mijn vader, die ik in het rusthuis gestolen had. Uit machteloosheid rolde ik een sigaret. En Jeannetje ook. Ze verbrandde zich zelfs de vingers aan de vlam, die als een geiser uit de aansteker spuwde.

'Het wil weer lukken,' zei ze, 'ik heb hem op vol wiel gedraaid!'

'Hu,' zei ze, 'er worden nogal toestanden geschapen, de dag van vandaag. Een beetje over incest willen schrijven... Meemaken, ja, dat is wat anders. En ik zit hier kanker te kweken op mijn gemak door aan die sigaretten te snokken, terwijl ik van vroeger al met kanker zat. Gelijk Anne, die van de lafheid.'

Ze heeft gelijk, ze heeft meer dan gelijk. Geen genade, voor niemand. Niet voor die vader en niet voor Anne. Want ze had een mond en ze kon praten. Maar nee, ze zweeg als een laffe teef. Tot de kruik vol was. Ze zweeg voor haar moeder, voor de school, voor de buitenwereld en uit schrik dat niemand haar geloven zou. Laf zijn is lelijk. En verkrachting is lelijk... Jeannetje weet het maar al te goed. Incest is gruwelijk... Anne wist dat nog beter. Maar het was zo. Het is nog zo. Het zal altijd zo zijn. En ook de dood kunt ge met de moed der wanhoop niet gelukkig maken.

14

En in Amerika...

Ge duwt F10 in en hij vraagt u *Document to be saved?*, ge duwt *Yes* en hij vraagt *Replace* en ge zegt weer *Yes.*

En dan kunt ge verder werken, zegt hij. Braaf computerke.

Ge rekt u uit als een lapjeskat, ge geeuwt gelijk een olifant. Ge loopt naar de keuken om een kop koffie en ge rolt – hoe zou het anders kunnen – een sigaret.

Ge voelt u opgelucht, meer nog, een stukske blij, omdat die geschiedenis van Anne achter de rug is. Ge legt de riem af.

Maar Jeannetje laat u niet gerust. Nu wil ze over dat verhaal wel een woordje placeren. Ze ziet er geëchauffeerd uit. Haar ogen schieten vonken, haar stem slaat over. Haar exclamaties zijn niet uit de lucht.

'Ik vind,' zegt ze, 'dat over die incestproblematiek hier te lande veel te veel drukte wordt gemaakt. Het is waar, het is erg als u zo iets overkomt. Ik heb het aan den lijve ondervonden. Maar het zou er proper voor mij uitzien, moest ik daar gans mijn leven mee blijven zitten. Stel u voor, daar zelfs liefdeloos tegenover mijn kinderen voor staan... En schrik hebben voor mannen! Of mijzelf naar Pierlala sturen!'

'Neen,' zegt ze, 'ik vind dat ge uit zoiets moet kunnen kruipen, het van u afschudden, de liefde weer moet willen kennen zoals die tussen man en vrouw kan bestaan. Het kan dan al gaan met vallen en opstaan: als ge de goede vent hebt, geraakt ge daar wel uit. Ik ga toch ook nog naar mijn vader, want hij heeft mij nodig. Hij is oud en betreurt wellicht ook wat er gebeurd is. Wij laten die deur liever dicht.'

En daarmee gaf ze mij te kennen dat ze dat verhaal over Anne een lamlenderig misplaatst ding vond.

'Dat mens zocht moeilijkheden waar er geen waren,' meent ze, 'ze vergat volwasssen te worden.'

En daarmee is voor haar de kous af en neemt ze gas terug. Ge ziet haar afkoelen.

'Wilt ge mijn geschiedenis ook schrijven,' vraagt ze, 'dat ik van zo kleine komaf ben?'

Ik beloof het haar.

En ge zoudt er al onmiddellijk aan begonnen zijn, had ge die telefoon niet gekregen. Het rusthuis van uw vader is hem kwijt. Hij is het afgetrapt. Naar het schijnt omdat hij geen zakgeld kreeg omdat hij er nog maar pas had gehad – zeggen ze – en mogelijk is hij wel naar u op weg – vermoeden ze. En gij vermoedt dat ook.

En uw sombere gedachten dat hij zich toch van kant zou maken, zoals hij al zo dikwijls dreigde, krijgen vastere vorm. Al schreeuwt uw binnenstem dat dit zijn volste recht zou zijn, nu hij nog beseft dat hij dement aan het worden is. Dat zou voor hem een waardige oplossing zijn. Ge hebt ooit eens een vers ingestuurd, naar *vzw Waardig Sterven*, over een oude indiaan en een eskimo. En ze publiceerden het nog ook, al zat ge toen nog in het schrijversembryo. Het zal wel overtuigend geklonken hebben. Maar in dat tijdschrift voor de derde leeftijd weigerden ze het. Ah ja, wie dood is, koopt geen maandbladen meer.

Ha, hier zie, dat is het. Ge leest. Verdomme, dat was zo slecht nog niet, denkt ge. Maar voor alle veiligheid zult ge het hier toch maar in kleine letters zetten, gelijk er in alle contracten staan. En een verbond met de dood is niet niks!

Recht op waardig sterven,
zoals de indiaan, de eskimo en oude Jan.
Recht waarin het recht volgen is van eigen weg.
Recht op waardig sterven, een vernieuwd oud besef.
Dood moet iedereen, op het einde van de generale
repetitie
die morgen in première gaat.
Recht op waardig sterven moet genomen...
Jan sterft, gaat dood.
Gedaan.

Zelfs in uw foetusschrijversperiode zat ge al met die kordaatheid, met die belangstelling voor realiteit, voor de waarheid – uw waarheid, vergeet dat niet. Te kunnen en te mogen beslissen dat uw tijd gekomen is...

Onrustig dwaalt ge uw flat af en om het uur belt ge naar het rusthuis.

'Nee, nog altijd niet terecht!'

Er zijn al vijf uren verstreken en ge vreest, ge vreest... tot de bel van de voordeur gaat, hard en ongedurig. Zoals ge zelf een ongedurige aard hebt. Maar gelukkig zijt ge niet doof. Ge stormt de trappen af, ge snokt de deur open en daar staat hij: klein ventje van niemendal, op zijn sloffen, zonder klakske op en in een dunne oranje zomervest.

Zijn hoofd is rood van de bijtende kou, zijn twee grote oren zijn twee signalen dat het veel te veel is geweest en hij zegt:

'Daar verschiet ge van zeker, dat ik uw huis gevonden heb?'

Zijn handen zijn dood, ze zien zo wit als ijs. De snot loopt uit zijn neus en hij veegt hem met zijn mouw weg. Want hij heeft natuurlijk geen zakdoek.

'Kom binnen, pa,' zegt ge afgemeten, want ge moogt hem vooral niet laten merken dat hij u zomaar kan blijven chanteren. De laatste weken verdwaalde hij al drie keer.

'Ik ga daar lopen,' zei hij, 'ze doen daar precies of ik achterlijk ben.'

Ge hebt u afgevraagd, hoe het met al die politieke beloften om het voor de vergrijzende bevolking beter te maken, nu eigenlijk zit. En ge hebt u nog meer afgevraagd, als hij schreiend als een klein kind in uw armen vroeg:

'Heb ik daar gans mijn leven als een muilezel voor gewerkt, om nu op mijn ouderdom als een stout kind om wat zakgeld te moeten bedelen, om mij wat sigaretten te kunnen kopen en het dagblad dat ik al gans mijn leven lees?'

En ge hebt gevoeld dat al uw haat voor hem verdween in de knokigheid van zijn schouders, die alleen nog rust en vriendschap vroegen.

Want alle rottigheid was hij in zijn klein mannelijk egoïsme vegeten.

'Vader,' hebt ge gezegd, 'ge maakt het moeilijk. Ik heb tenslotte ook maar één leven.' En ge hebt hem teruggebracht en ge hebt in zijn plaats gereclameerd voor dat zakgeld, zodat ze u ik-weet-niet-welke-afrekeningen-allemaal onder de ogen hebben gesmeten. Maar ge waart maar pas goed kwaad omdat hij zijn kiesplicht niet heeft mogen vervullen, want ze hadden zijn identiteitskaart ingehouden en hem ziek gemeld. Alhoewel hij over een afstand van elf kilometer naar u toe is gekropen, vond de dokter hem onbekwaam om de vijfhonderd meter naar het stemlokaal te stappen.

En dement is hij zeker niet, of kom, zo nu en dan maar met stoten. Zegt de dokter.

'Dat moet een misverstand geweest zijn,' zei de directeur van dat privé-rusthuis.

En ge hebt hemel en aarde verzet dat hij daar weg zou kunnen, naar een ander en beter rusthuis, dichter bij uw deur. Dan zal hij tenminste niet zo ver moeten lopen, als hij nog eens wil ontsnappen uit '*Villa Aftakeling*'.

En iedere keer als ge zijn vuile onderbroeken ziet en wast, zijn hemden en zijn sokken, dan verdringt ge die gevoelens van vroeger en dan zegt ge:

'Zonder hem zou ik hier niet lopen en zonder hem had ik geen reden om te schrijven. En hij heeft tenslotte voor mij gewerkt en mij met zijn karig inkomen laten studeren.'

Maar toch hebt ge de moed niet om hem bij u in huis te nemen. Er is te veel gebeurd...

Daarom treffen de woorden van Jeannetje van Diependaele u als ze zegt: 'Draag zorg voor uw lijf, want ge moet erin wonen.' En er is geen gezonde geest, als er ook geen gezond lijf is en vice versa. Er staat u dus niks anders te doen dan voor uzelf zorg te dragen.

Zoals het uw plicht is om de belofte aan Jeannetje te volbrengen en over haar afkomst te schrijven, die precies een *labelke* is voor veel afkomsten in de oude textielstad waarin ge woont. Ze zijn er niet te tellen, de kleinen, de onmondigen, degenen die altijd aan de rand van de armoedegrens hebben geleefd.

En al deed Eetje Anseele nog zo dikwijls zijn mond open, zijn woorden zijn ze al lang vergeten, onze politieke mandatarissen die nu ineens van zichzelf vinden dat zij de joden geworden zijn in onze samenleving. Anno november 1992. Mijn kloten... Hebben ze daar dan hun broek zitten verslijten in die kamers? Of zijn ze doodgewoon uit die werkmansbroek gegroeid? Het wordt tijd dat we weer eens onze vuist heffen als we zijn standbeeld passeren, al zou het ook wel priester Daens mogen zijn die daar stond. Ze beweren nu dat hij geen socialist was omdat hij voor het geloof stond. Wat hebben geloof en politiek nu met elkaar te maken?

Mijn goesting om dat verhaal van Jeannetje op papier te krijgen, daalt met de minuut. Ze hebben mij iets in mijn nek gesmeten: het een of ander griepvirus.

Inderdaad, in uw lijf moet ge kunnen wonen en voor het ogenblik verblijf ik daar ver van comfortabel. Bewijzen heb ik daarvoor, want mijn pakje sigaretten mindert niet. Ik heb geen zin in roken, ik de *freak!* Zodat ik met alle mogelijke bottenpijn en spiertrekkingen het vuur op hoger zet, mij citroensap trek en zwetend en huiverend toch niet wil plooien. Want Ingeborg is er ook nog, die ik om de zoveel toeren op mijn pick-upke leg en laat zingen: 'Als je het doet, zie me dan graag, zeg me dan honderdduizend keer, ik zie je graag.' Vermits mijn vriend nog altijd de grote afwezige is, blijft er niemand anders over dan Jeannetje om van mij te houden, zodat ik die griep die mij vierendeelt, die mijn armen en mijn wervelkolom in stukken trekt, die mijn voorhoofd in brand laat staan, aanvaard als een noodzakelijk kwelvirus. Al hoop ik maar dat mijn computer geen virus slikt, of mijn pijp is uit. *La Gioconda* zou zonder lach zelfs Leonardo da Vinci doen verstijven en ziek maken.

Opgepast Jeannetje, hier komen we met uw verhaal!

Of liever, dat van uw afkomst, waar incest voorkwam als tatjespap. Om van te kotsen. Maar daarvoor moeten we een paar generaties terug.

1884.

Decor: zakstraat met beluikhuizen.

Charlotte bevalt, een meisjestweeling rolt uit haar lomp, lelijk lijf. Ze zijn klein, onvoldragen bijna en ze lijken niet op elkaar. Ze komen niet uit hetzelfde ei. Hun gescheeuw en hun geblet roept de cité bij elkaar, maar niemand die daar om treurt, want er liggen er nog te janken.

'Godverdomme,' schreeuwt Charlotte tegen de straatvroedvrouw, 'twee spleten!' En de dag nadien loopt ze al rond en zeult ze al met emmers water. Niet om de vloer te schrobben, want die is er niet. Ze loopt op zand. Donker zand, waarin tekeningen gemaakt worden en waarop volkse creativiteit wordt botgevierd. Charlotte maakt daar niet veel spel van. Met een hark *raakt* ze het vuil bij elkaar en de twee oudsten die aan haar rok hangen, trekken er met hun klompen nog een paar diepe strepen bij.

Haar twee borsten geven de tweeling melk, al zou het kunnen dat daar jenever in zit, want Charlotte zuipt als een koe. En haar vent ook. Hij is de vader van de tweeling. Naar ze zeggen... niet van de anderen.

'Gij zuiplap,' roept ze, 'gij stinkende luiaard. Waar is het geld?'

Hij heeft het al verzopen en verdronken. En zij wil ook haar fles.

'Gij stomme egoïst,' tiert ze.

Na de bevalling trekt ze onmiddellijk naar de vlasfabriek, want het woord bevallingsverlof is nog door niemand bedacht. Van vijf uur in de vroege morgen tot zeven uur in de avond. De borst kan ze tussendoor geven in het kot waar oude versleten vrouwen aan kinderopvang doen, betaald door mijnheer den Baron van de Filature. En de oudsten blijven thuis, te klein om naar school te gaan, te groot om in die kribbe te mogen. Ze zitten er aan korsten te sleuren en ze hebben geluk dat er geen stuk brood in hun keel blijft steken. En waren ze gestikt, dan was daar ook niets aan te doen. Charlotte blijft daar allemaal onverschillig onder. Ze heeft vissebloed. Maar dan rood.

Er roert wat in de beluikhuizen, die eigendom zijn van de van de fabrieksbaas, die de huren rechtstreeks van de lonen afhoudt, waarna nog weinig overblijft! Het zal niet lang meer duren voor er brand uitbreekt in de cités.

De tweeling, Emma en Rachel, overwintert twee keer in de kribbe en daarna sleurt Charlotte hen naar de armenschool.

'Nee, godverdomme, niet bij de zusters!' Daar heeft ze geen geld voor en bovendien heeft ze schijt aan God en zijn geboden. Hij laat hen kreperen als slaven.

'Zoude gij dan misschien in diene zeveraar geloven, die predikt: gaat en vermenigvuldigt u? Den diene hebben ze toch uitgevonden om de mensen te kalmeren en dwaas te houden, zeker?'

Rachel en Emma gaan naar de eerste klas, waar ze eten krijgen en zwarte lange schorten en waar de weeskinderen Frans moeten spreken.

'Ge zoudt op den duur nog wensen dat ge een wees zijt!'

Rachel heeft een scherp verstand, ze pikt mee wat ze kan, ze hoort en luistert die vreemde zangerige taal die zo anders is dan haar rauw dialect en ze kan al lezen nog voor ze kan schrijven.

Emma niet. Emma is een mooi kind, met lange wilde haren. Maar Rachels gezichtje sleept bijna tot op de grond omdat ze door haar uitstekende kin een lepelaarsbek draagt.

'Menslief, wat zijde gij toch een lelijk ding. Hoe heb ik zo'n monster op de wereld kunnen zetten?' roept Charlotte tegen Rachel.

Die zwijgt. Want haar moeder is voor de zoveelste keer dronken. Zo zat als een patat.

'Kom, mijn klein Emma'tje,' zegt Charlotte, 'gaat gij ne keer om brood en zeg dat ze het op de lei moeten zetten!'

'En gij moogt u aan de waskuip stellen,' schreeuwt ze tegen Rachel, die in zichzelf de tafels van vermenigvuldiging afdreunt.

Charlotte is er door. Haar kan niks meer gebeuren. De twee oudsten zitten ook al op de fabriek. Er kan een fles meer gedronken worden.

Rachel kan het niet helpen dat ze altijd de beste in de klas is. Ook al is ze zo lelijk als een donderwolk. Ze heeft onweer in haar hoofd, haar hersenen schieten vonken langs alle kanten.

'Het zal me wat,' zegt Charlotte, 'of denkt ge dat ge beter zijt dan de anderen? Ge gaat gij seffens ook naar 't kot, meiske. Wat had ge gedacht misschien? Daarvoor zijt ge in de verkeerde wieg geboren.'

Rachel loopt de ganse dag met vreemde gedachten door haar hoofd te sleuren. Ze denkt aan boeken en aan tekenen en schrijven.

'Hier, Emma,' zegt ze, 'zo moet ge uw naam schrijven.'

'Waar is dat goed voor?' vraagt die verwonderd, want aan haar gaan al die gekrulde letters voorbij als rookpluimen die uit de schouwen komen.

'Voor als ge trouwt,' zegt Rachel, 'ge moet toch uwen naam kunnen schrijven, zeker?'

En Emma doet wat sterke Rachel zegt. Is die niet groot, ze heeft een ijzeren wil en nondedju, ze denken toch niet dat zij ook een dronkelap wil worden, die haar vent onder de tafel slaat en die 's nachts ligt te ronken als een varken of die haar man verkracht? Want dat ziet en hoort Rachel. Ze slapen op dezelfde kamer. Aan haar moeten ze niks wijsmaken over hoe de kinderen er komen. Hoe dikwijls hoort ze Charlotte niet tegen het magere lijf dat bovenop haar ligt te verzwelgen en te stampen, roepen:

'Zie dat ge u op tijd wegtrekt!'

Haar vader heeft een schorre hoest en zijn klein werkmanslijf is afgrijselijk lelijk. Hij wordt uiteengetrokken door de vracht sparren die hij elke dag aan zijn haak sleurt en laat meten aan de kaaimuur bij de houtfabriek aan de dokken. Want ze worden betaald per meter. Dagloon dat hij meestal verdrinkt.

Voor Charlotte heeft Rachel wel ontzag want die werkt als een paard, die zuipt en die werkt toch door. Die zingt...

Rachel leert van haar al die oude liedjes. Over dronken Lotte die eigenlijk niet dronken was; het kwam door de gasuitwasemingen op de fabriek dat ze er altijd zo zwijmelend bijliep.

'Zoals bij mij,' lacht Charlotte, 'als ik zwijmel, komt dat ook door die stinkende fabriek.' Ze heeft overschot van gelijk.

Charlotte vertelt. Over Gent. Over de rare kwasten die er rondlopen en over de hoerenbokken waar de meisjes moeten voor oppassen.

'Om ge weet wel wat te doen!'

En Rachel schrijft dat allemaal op, in eenvoudige taal, maar zonder spellingsfouten. Met dubbele *ee*'s en *oo*'s en *sch*'s.

'Voor later,' zegt ze, 'om het aan mijn kinderen ook te kunnen vertellen.'

Een werkmansdagboekje dat nooit zal worden uitgegeven en dat Rachel later in stukken en brokken zal terugvinden in de *Verborgenheden des Volks*, als had ze het zelf geschreven.

De tweeling is negen jaar geworden. Achttien december. Tussen Sinterklaas – die hun schoentjes niet vindt, omdat ze er geen hebben – en Santa, die de sparren aan de kaaimuur laat meten. Omdat ze daar van het schip komen.

Een heuglijk moment voor Charlotte want nu krijgt de tweeling een schoftzak met boterhammen: ze mogen ook naar de 'natte continu', als hulpjes.

'*Ce sont toujours les mêmes*,' zegt de schooljuffrouw als Rachel haar vertelt dat ze niet meer komen.

'Hier,' zegt de *mademoiselle*, 'ge moogt uw schriften meenemen en hier is er nog een leeg en nog wat potloden. Misschien kunt ge thuis nog wat verder blijven oefenen.'

Rachel krijgt een gouden lepel om in de hemel rijstpap te mogen eten. Ze staat erbij aan de grond genageld. Maar niet zo lang dat ze geen kans waagt.

'Krijg ik ook een paar leesboeken?' vraagt ze en ze schaamt zich bijna omdat ze het heeft durven vragen.

De twee starre grijze ogen doen de *mademoiselle* van kleur verschieten, als een kameleon die niet goed weet welke kleur er in zijn kamp past.

'Hier, *voilà*,' zegt ze, 'stop ze onder uw sjaal en ga goedendag zeggen aan *Madame la Directrice*'.

Emma is niet meegekomen en Rachel krijgt ook haar schriften, maar geen leesboek. Te veel is te veel...

'*Entrez*,' roept de directrice die achter haar bureau zit als een verschrompelde oude vrijster waarvan het maagdenvlies over het gezicht gespannen zit.

'*Au revoir*,' antwoordt Rachel en dapper gaat ze. Ze denken toch niet dat ze zal huilen?

De tweeling werkt. Nederig bekijken ze de reusachtige getouwen en de dampende ketels. Hun kinderlijven sleuren zware emmers. Ze rennen zich gek van de ene molen naar de andere want de draden breken overal gelijktijdig en de vrouwen roepen want ze werken in *entreprise*: hoe vlugger er gewerkt wordt, hoe meer centiemen ze verdienen. Hun voeten zwellen van de vochtigheid, hun handen tintelen door het almaar knopen van de draden.

Tot ze naar huis kunnen. Ze lopen langs de Nieuwe Vaart, het kanaal waarop de boten drijven die naar andere streken gaan. Weg van Gent, weg van de textiel en van het opeengepakt fabrieksvolk.

'Ik zou daar ook op willen varen,' zegt Rachel tot Emma.

'Waar zoudt gij dan naartoe gaan?'

'Naar Frankrijk,' antwoordt ze, want dat is het land van haar dromen. Daar spreken ze Frans, daar wonen rijke mensen. Het kan niet anders...

Om vijf uur 's morgens lopen ze gearmd langs de koude vaart want het zijn bijna kerstekinderen en het wintert bar, als ze van de schoolpoort regelrecht naar de fabrieksingang stappen. Met de moed in hun klompen en met de slaap in de ogen.

'Slaapt gij nu nog een beetje,' zegt Rachel onderweg tot haar zusterke.

Die hangt aan haar arm als een lege aardappelzak.

'Dan moogt gij morgen slapen,' zegt goedmoedige Emma.

En zo doen ze dat. Elk om beurt om zich met de ogen dicht langs de vaart te laten trekken, terwijl de gure wind door de gaten van hun zwarte omslagdoek blaast en de vrieskou in hun voeten bijt. Strompelend op onhandige houten klompen schragen ze elkaar.

'Hebt gij onze boterhammen mee?' vraagt Emma en Rachel knikt. Wie zou er anders aan gedacht hebben?

Rachel denkt aan alles en ze hoort ook alles wat de *patron* met de opziener bespreekt.

'Ze moeten harder werken,' zei hij.

'Het kan hem *sacre-nom-de-Dieu* niet schelen dat het maar kinderen zijn,' zei hij.

'Het gepeupel,' zei hij. En dat gepeupel schijt in de broek als ze hem zien.

'Wacht maar manneke, als ik groot ben,' zegt Rachel tussen haar tanden. En haar lepelaarskinnebak schuift nog een trede vooruit.

'Mijn kinders zullen hier niet zo staan als armoezaaiers, zij zullen tot hun veertien jaar naar school gaan en leren naaien!'

Want verder dan de textiel kent ze de wereld niet. Daarvoor is die te diep ingeslikt.

Al is haar wereld klein, hij is rood, bloedrood. Zoals de rochels van haar vader. Zijn hoest verscheurt zijn borst.

'Hij moet naar de *clinique*,' zegt de dokter tot een verslagen Charlotte.

Hij sterft in het armenhuis en hij wordt van den arme begraven. Ze steken hem bij de Palingshuizen aan de Brugse poort in een graf, als een hond die niet meer kan janken. De grond moet zelfs nog gewijd worden en daar zijn veel politieke en klerikale strubbelingen tegen.

En dat zwaar vrouwmens dat op hem sloeg als op kaf, is ineens van slag.

'Mijnen Theofiel, mijnen Theofiel,' roept ze de hele dag door.

En almeteen krijgt bikkelharde Rachel medelijden met haar moeder. Ze begint wat van de liefde te begrijpen. Want haar lijf is ook rood geworden en dat van Emma ook. Maandelijks loopt het bloed langs hun benen, want een onderbroek dragen ze niet.

'Laat lopen wat loopt,' zegt Charlotte, 'onder die lange rokken zien ze dat toch niet en als het valt, zijn de klonters zo in het water op de natte vloer opgelost. Wij doen dat ook.'

'Maar zie dat ge van het mansvolk wegblijft,' roept ze hen nog achterna.

De tweeling wordt twaalf en dertien en veertien.

Emma wordt met de dag mooier, ze bloeit als een vergeet-me-nietje. Rachel wordt met de dag lelijker, maar haar ogen zijn als grijze staalharde pinnen. Die steken iemand door het lijf. In haar hoofd sluit ze haar gedachten in een dagboek, zoals de rijken er een hebben en waarin ze van dag tot dag hun geheimen optekenen. Soms laat ze Emma een bladzijde lezen.

'Kijk,' zegt ze in de zomer, stappend langs de vaart, 'dat huis daar, dat is het hondehuis.'

'Waar haalt gij dat?' vraagt Emma.

'Dat lange raam is zijn muil en die twee bovenvensters zijn ogen en die twee schoorstenen de oren.'

'Ge zijt gij goed zot,' zegt Emma.

Er is ook nog het kattehuis, daar groeien de staarten aan de wilgen in de tuin die ze door de openstaande koetsierspoort zien. Het is het huis van mijnheer den Baron, er hangen gordijnen voor de ramen die nooit bewegen of toch... één keer wel, en toen zag Rachel een wit meisjesgelaat dat omkranst was door stijve papillotten en het kind zwaaide naar hen en Rachel deed of ze het niet zag.

'Diene rijke stinkerd,' zei ze en Emma zei: 'Daar kan zij toch niets aan doen!'

'Ge zijt dezelfde schijtzak als ons vader is geweest,' antwoordde Rachel en Emma zweeg.

Want zoals Rachel dat zei! En daarbij is ze verliefd op Victor de meestergast, die getrouwd en gesteld is, maar toch vingers heeft die jeuken om katjes in het donker te krabben.

'Gij domme konte,' meent Rachel, 'straks komt ge nog met een kind naar huis.'

Het leven in de fabriek wordt gelijkmatig verdeeld. De dagen blijven werkend aan elkaar gerijgd. Altijd even zwaar.

Op zaterdagavond is het wasdag. De lijven wassen zich in dezelfde teil en in hetzelfde water, maar de meisjes mogen eerst.

Achter het deken zitten de broers te wachten. De oudste is een rare kwibus. Hij is het evenbeeld van Charlottes oudste broer, hij bepotelt en kriebelt kleine Emma als Rachel even uit de buurt is en hij zevert over haar twee schone kleine loezekens, die ze niet zo mag wegsteken...

Tot op de dag dat Emma's rok niet rood wordt en dat haar lijf zwijgt.

'Ge zijt toch niet zo, zeker?' vraagt Rachel bang.

'Ik denk van wel, van onze oudste,' fluistert Emma.

'Wat zegt gij daar, van die halfgebakken halve vent?' tiert Rachel.

Ze kan haar oren niet geloven, moest ze niet beter weten. Heeft hij haar in het Manestraatje ook eens niet willen pakken?

Aan Charlotte moeten ze niks vertellen, want die weet niet meer dat ze nog op de wereld is: haar leven zwemt in jenever.

'Dat kind moet weg,' beslist Rachel, 'er is al genoeg bloedschande in de familie geweest en daarbij met een kind geraakt ge nog moeilijker aan de man.'

De straatvroedvrouw zal de klus wel klaren, hopen ze. Het kind wordt met scherpe priemen doorstoken. Het vloeit af en Emma's bloed blijft lopen. Al dat bloed.

Als mijnheer de dokter komt is het te laat. Emma sterft. Rachel staart. Rachel kijkt bitter en gesloten. Charlotte zuipt. De oudste broer vlucht. Als verstekeling op een schip. Ver weg. Heel ver weg. Naar Amerika.

Het zal voor Rachel nooit meer zijn zoals vroeger. Ze is een stuk van zichzelf kwijt.

Tot ze Isidoor ontmoet. Die is leurder. En plezant. Hij lacht altijd en hij draagt een versleten wollen klak.

'Ewel, mijn dolleke,' zegt hij, 'hebt gij soms geen pannen vandoen?'

Rachel heeft meer nodig dan pannen en potten.

'En hebt ge meubelen, en hebt ge huisgerief, dan moogt ge trouwen met uw lief, mijn hartedief,' zingt ze. Als antwoord.

'Ik kom u zondag halen,' zegt hij, 'zie dat ge om twee uur aan uw deur staat!'

'Ik kan niet,' zegt Rachel, 'mijn hemd hangt dan te drogen.'

'Dan komt ge maar zonder,' roept hij en duwt zijn kar het beluik uit.

En Rachel staat die zondag – zonder hemd – in haar voordeur en ze ziet hem uit de verte komen aanlopen.

Zijn broek sloddert rond zijn benen, zijn handen steken dwaas in zijn zakken en met zijn ene voet schopt hij de keien weg. Hij zwaait, hij roept, hij fluit. Rachel springt op en af de zulle van haar huisje. Ze geniet. Het weer is goed. De zon doet mee. De fabriek staat er niet meer, de grijze rook is opgelost in de blauwe lucht waarin witte wolken *Fransetien* spelen en elkaar zoenen bij het botsen.

Die avond lacht maantje-minne over het grasplein bezijden de fabriek. En huilt Emma en haar ongeboren bloedkind.

En in Amerika loopt een vagebond rond, die misschien zelf het slachtoffer was van bloedschande. Misschien was dat wel zijn drijfveer geweest: omdat hij het nooit verkroppen kon. En daarom had hij het doorgegeven. Omdat het zo was geweest en nog altijd zo was en het altijd zo moest blijven dat er ongewenste mensen bestaan met een stempel op, gelijk bij de beesten.

15

De twintigste is al zwaar genoeg...

Jeannetje herlas het verhaal dat ge over haar grootmoeder maakte.

'Ze zeggen soms dat ik op haar lijk,' zei ze, maar over het verhaal zweeg ze in alle talen. Misschien vond ze het wat zwaar op de maag. Want Rachel werd tenslotte haar grootmoeder waar ze geweldig veel van hield. Ze streek en ze zweeg. En ineens begon ze te huilen. Dunne tranen die ze met haar mouw wegmoffelde.

Ge kent de reden maar al te goed. Want erover zwijgen kon ze niet langer.

'Mijn vriend is weg,' zei ze, 'ik dacht eerst dat het maar een bevlieging zou zijn, maar hij laat nu al weken niks van zich horen. En ik ben zo verward nu ik eindelijk voor de eerste keer echte liefde ken.'

Niemand begrijpt haar beter dan ik. Ze is haar steun kwijt, de duw in de rug om verder te doen. Ze kan wel zonder man, maar niet zonder liefde.

'En de feestdagen staan voor de deur,' zei ze, 'mijn kinderen hebben mij gevraagd, maar ik heb geweigerd.'

'We zullen samenzijn,' zei ik, 'ik zal wel achter dat klavier zitten, maar we kunnen toch eten en wie weet, teevee kijken.'

'Ach,' zei ze, 'ik wou dat hij mij opbelde.'

Met Kerstmis zweeg de telefoon als vermoord. 'Vrede op aarde aan alle mensen van goede wil' luidden de klokken overal in de stad en het kind werd voor de zoveelste keer –

een paar dagen te vroeg – geboren. Ge hebt geen bol opgehangen, ge hebt geen kerststronk gekocht; ge hebt warempel naar de mis zitten kijken en luisteren. En in de mist van de wierook herleefde ge de eerste momenten met hem, die u verlaten heeft omdat ge meer wou zijn dan zomaar een vrouw. En omdat ge probeerde al schrijvend een beter mens te worden. Terwijl hij zijn tijd wou besteden aan baas boven baas te blijven. Voor wie eigenlijk? Het is trouwens uw eigen schuld. Ge moet maar niet anders zijn dan andere vrouwen. En daarbij zijt ge veel te oprecht. 'Een vrouw kan zich dat niet veroorloven,' zei uw moeder.

Moest ze nog leven, ge zoudt haar kunnen antwoorden.

'Ma,' zoudt ge zeggen, 'ik heb niet voor niks gestreden. Ik heb niet voor niks onder de man gelegen. Ze hebben ons altijd een rad voor de ogen gedraaid. We zijn teer, we zijn afhankelijk, we zijn gehoorzaam. We zijn dom en onbetrouwbaar. We mogen niet zuipen, we kunnen niet uitgaan. Want al onmiddellijk denken ze dat we op mannenjacht zijn. We hebben kinderen gebaard, we brengen ze groot, we mogen, let wel, we mogen van onze kleinkinderen houden. We moeten voor onze kinderen blijven zorgen, ook al deden ze ons de duivel aan. We mogen en we moeten. We mogen alles weten wat de mannen weten – en nog meer dan dat, want tegenwoordig hebben ze daar zelfs bewondering voor, àls we er maar sexy en goed uitzien.'

Ge zoudt nog veel meer kunnen zeggen aan uw moeder maar ze weet het wel. Want mensen houden van bekennen. We koesteren onze eigen valkuil en als we denken de juiste levenspartner gevonden te hebben, vertellen we hem al die geheimen.

Zoals zij het aan uw vader deed. Maar hij niet aan haar. Dat was een hemelsbreed verschil, godverdomme. Hij nooit aan haar.

Zoals gij aan die vriend vertelde dat er voor u niets zo heilig was als schrijven. En als man werd hij vernederd.

Dat ge van hem houdt doorheen al die woorden, heeft hij niet gelezen en bij Jeannetje zag hij in het fruitsap dat ze voor hem perste, haar liefde niet drijven. Sinaasappelsap is dan ook maar oranje en de liefde is rood. En uw woorden zijn zwart. Zelfs de herinnering die ge aan hem hebt.

We waren nog maar pas bij elkaar en we wandelden over een terrein. De weg was langer dan we gedacht hadden en het was al donker voor we terugkonden en ik was doodmoe.

'Als ik het nu vertik om kritiek te geven, dan lukt het de volgende jaren ook wel,' dacht ge.

Dat bleek zo te zijn, tot ge begon te schrijven, want dan kwam zijn kritiek en was het afgelopen met die zwijgplicht. En ge weigert hem te bellen, al rijdt ge bij elke onnozele boodschap – een brood bij de bakker vijf stappen voorbij uw deur – toch nog eens langs zijn flat om naar zijn gordijnen te kijken. Waarna ge met het gevoel van een steen in uw buik opnieuw achter uw klavier kruipt en nog meer sigaretten rookt. Ge zit met een gebroken hart. Ge zit met onthoudingsverschijnselen...

En bij Jeannetje is dat ook zo, want ge merkt dat ze het al wat minder proper houdt en dat ze zoveel door het raam staat te staren. Ze heeft zich zelfs een vibrator besteld bij een postorderbedrijf.

'Stuur me maar wat *in* is,' zei ze tegen de man aan de andere kant van de lijn. Ze kreeg een ding, een roodbruin lang gevaarte dat voor penis moest doorgaan en waarvan de eikel op een schele bultenaar leek met rimpels achter de oren. Het was verdorie een vrouwengezicht, met uitstekende oortjes en een toeterende open mond. De beadering was verdacht van kleur: paars.

En de batterijen om hem in gang te trekken moest ze apart kopen.

'Had ge dat moeten zien,' zei ze, 'van mijn leven niet wil ik zo'n gigantisch ding in mijn lijf.'

Ik ben het volkomen met haar eens, er gaat niks boven de warmte van de menselijke temperatuur. En zo'n vibrator streelt niet, fluistert geen lieve woorden in uw oor en bijt ook niet in uw tepels.

Jeannetjes minnaar met de artificiële blik zit terug in zijn verpakkingsdoos.

'Ge moogt hem hebben als ge wilt,' zei Jeannetje. En ze staarde opnieuw door uw raam, waar ze aan de overkant van de straat reparatiewerken uitvoeren voor telefoonaansluitingen.

Misschien is mijn verbinding wel verbroken, hebt ge gedacht en ge koesterde weer hoop: daarom had hij u niet kunnen bellen...

En ge denkt aan het echtpaar dat ge deze week – door de gordijnen loerend – in de keuken zag staan: ze hadden het rolluik niet naar beneden gelaten. Ze maakten gezellig met zijn tweeën een dineetje klaar, wat eigenlijk een soupeetje is zo laat op de dag.

Hij stond het fijne werk te doen, sneed de ajuin op een houten plank in duizend kleine stukjes en zij sneed het vlees in blokjes. Misschien maakten ze wel stoverij, op zijn Vlaams. Eenvoudig, maar gezellig. Op de tafel een fles wijn, donkerrode, zo te zien. En pudding, die bibbert in de kom als ze hem even verplaatst, want anders heeft hij geen plaats genoeg. Ze staan samen naast elkaar te werken. En op het vuur staat een grote kastrol te dampen. Tomatensoep waarschijnlijk. En genoeg, voor als morgen – op zondag – de kinderen komen.

De man kijkt op, zegt iets tegen zijn vrouw. Die gaat naar het raam en laat het lint van het rolluik z'n werk doen.

Beschaamd stapt ge door. Het is niet gezond in een anders leven te kijken als er in dat van uzelf eenzaamheid en verlatenheid verborgen zit. En ge denkt aan uw liefdesleven en toevallig is er op de televisie een documentaire over *parthenogonese:* dieren die zich voortplanten zonder de hulp van het mannelijk deel. Alleen in tijden van schaarste worden er mannetjes geproduceerd, waarna in de groep hevige reactie komt van de vrouwelijke delen. En agressie.

Jeannetje zag die uitzending ook.

'Ha, ja, de wandelende takken,' zei ze, 'daar kregen we biologieles over. Ik schrok me een aap toen ze in dat herbarium over en weer liepen. Die zijn tenminste verlost van de liefde...'

'Als hij mij nu maar niet bedriegt,' voegde ze eraan toe.

'Ja, Jeannetje,' zegt ge, 'als hij ons nu maar niet bedriegt!'

'Is dat abnormaal dat ge u boven de vijftig nog zo druk maakt om seks?' vraagt ze.

'Bijlange niet, Jeannetje,' zegt ge, 'het zijn de mannen die ons dat eeuwen hebben wijsgemaakt, omdat ze zich dan een jongere kunnen nemen en omdat een vrouw die zich een jonge minnaar neemt, scheef bekeken wordt. Ze beweren dan maar dat ge een nymfomane zijt.'

'Een wat?' vraagt ze.

'Een oversekst wijf,' zegt ge en eindelijk ziet ge haar weer eens lachen.

'Ik ben graag oversekst,' zegt ze.

'Ge zijt dat niet,' weerleg ik.

'Mijn grootmoeder,' vertelt ze plots, 'was zesentachtig en ziek. Ik moest de lakens van haar bed verversen. Ze lag daar in haar nachtkleed. Ze deden haar niks anders meer aan dan nachtjaponnen. Ze had er wel tien en die schoven altijd naar boven. Toen ik haar daar zo halfnaakt zag liggen en die pracht van haar lijf zag – het was nog als dat van een meisje van achttien – vond ik het zonde dat haar kinderen haar jaren seks hadden onthouden. Want na de dood van mijn grootvader wou ze nog eens herbeginnen met Prosper, een weduwnaar uit haar straat. Maar dat was andere koek. Ze hebben geroepen en getierd, dat het schande was op haar leeftijd en dat ze daar toch niks anders dan miserie door zou kennen. Ze dachten natuurlijk aan haar huis: aan haar eigendomke waar ze zich rot voor gewerkt had. En aan delen. De stommeriken. Mijn grootmoeder, die altijd zo sterk geweest was, heeft toegegeven. Maar ja, we leefden toen nog in de tijd van wat-zullen-de-mensen-zeggen. Ik lap dat aan mijn laars, ze zeggen altijd wel iets,' besloot ze haar betoog.

Ze leek wel Paula D'Hondt die opkwam voor de migranten. Want zo was ze voor die vergeten vrouwen opgekomen. Ons Jeannetje uit het werkmansvolk. Ons Jeannetje die de emancipatie heeft doorworsteld en die niet opgaf. Vanzeleven niet.

'Als ik dat zou doen,' zegt ze, 'dan zou ik weer in de negentiende eeuw zitten en de twintigste is al zwaar genoeg.'

Ze deed haar jas aan, haar tweemetersjerp zwierde langs haar benen, ze trapte erop en donderde bijna de trap af en ze trok de voordeur woedend achter zich dicht.

‘Ik ga op stap,’ riep ze nog, ‘het heeft nu lang genoeg geduurd, dat kluizenaarsleven!’

Jeannetje van Diependaele heeft zich dus niet kunnen beheersen. In de radeloosheid waarin ze zat, omdat haar vriend zich terugtrok – misschien hield hij niet genoeg van haar, om haar met al die complexen en familiale moeilijkheden te aanvaarden? – is ze haar oude kroegvrienden gaan opzoeken.

En daarmee ook de drank.

Met haar katerhoofd dat zwelt van de vochtigheid die ze in haar hersenen opslaat, luistert ze naar hun advies. Ze zou zich beter zelfmoorden als ze zo erg in de liefde gaan geloven is, zo beweren ze, want met de liefde valt niet te leven. Dat is werkelijk het einde van elk bestaan.

Een betere blijk van hun vriendschap hebben ze niet te bieden...

De een heeft zopas zijn moeder begraven. Hij heeft zich de polsen willen oversnijden.

‘Kijk, Jeannetje,’ zegt hij en ze ziet de snijlittekens op zijn armen.

‘Ik ben een vrouwenhater,’ zegt de andere, naar Jeannetje kijkend.

‘Gij zijt er zo een die de wijven van alles de schuld geeft,’ repliceert Jeannetje.

‘Neen, maar als kleine man heb ik gewoon de pest aan alles, aan alles. Ik krijg er gewoon de zenuwen van.’

‘*All you need is love*,’ zingt Jeannetje de Beatles achterna. En nadat de mannen vertrokken zijn, blijft ze voor zich uit zitten stamelen:

‘*All you need is love*. Wat je nodig hebt is liefde, wat je nodig hebt is... zijn liefde.’ En al die liefde spoelt ze haar keelgat door, want ze heeft in haar whiskyglas staan zingen als in een microfoon.

'Mag ik even bellen?' vraagt ze de verveelde barman die met zijn ogen halfdicht en met de kin steunend op de hand, naar de klok zit te kijken.

Het is twee uur in de nacht. De telefoon rinkelt. Dertig keer. Dichtgelegd. Toetsen. Rinkelen. Dertig keer.

Of hij heeft *mogadon* genomen of hij is niet thuis...

Hij heeft vast *mogadon* genomen.

Jeannetje rekent af, verwondert zich erover wat ze voor die prijs in haar kas heeft geslagen en waggelt naar huis. De straten leeg, de vuilniszakken voor de deuren.

Een combi rijdt voorbij. Jeannetje zwaait.

'Dat is lang geleden, hé,' roept Jeannetje en haar stem klokt tegen de kerk van de straat waar ze woont. Haar autootje staat gelukzalig voor de deur. Nergens is nog licht aan.

'Goedenacht,' roept Jeannetje; haar sleutel vindt de juiste gleuf en hijgend trekt ze zich de trap op.

'Er zijn tegenwoordig veel vrouwenhaters,' zegt ze tot de spiegel die in haar toilet hangt. 'Meer dan een mens zou denken...'

De onzekerheid van het veronderstellen is beter dan de zekerheid van het weten.

Morgen bel ik opnieuw, denkt Jeannetje.

Maar dan wel nuchter. En als hij dan thuis is, zit ik wel goed in de bonen... Ze trekt haar slaapkleed aan, haalt de vibrator uit de doos en legt die op haar nachttafel.

'Lelijk gedrocht,' zegt ze.

Het ding doet niet eens moeite daarop te antwoorden.

En trouwens, welk antwoord zou hij geven?

16
Het katerhoofd

Ge rijdt met een katerhoofd van twee meter dik en honderd kilo's zwaar, naar uw vader. Ge geeft hem geld. Opnieuw, ge vult een bodemloze put.

'Ik zou u ne keer wat moeten vragen,' zegt hij en hij steekt zijn kin vooruit opdat ge goed zoudt zien dat het een ernstige kwestie betreft.

'Zijt ge al ne keer naar mijn huis geweest?' vraagt hij en zijn ogen schieten vuur.

'Pa,' zegt ge, 'uw huis is afgebroken door de grote renovatieplannen die de stad met ons voor heeft; uw huis is afgebroken, met de grond gelijk gemaakt, er staat geen steen meer overeind.'

'Hoe komt het dan dat ik daar niks van gezien heb?' vraagt hij.

'Omdat ge toen uw arm had gebroken, in het ziekenhuis belandde, daarna in een rusthuis en daarna weer drie keer in het ziekenhuis, door uw weglopenij en omdat ge nu hier zit,' zegt ge.

'Daar weet ik allemaal niks van,' zegt hij, 'en waar zijn mijn meubels naartoe?'

'Er staan er hier,' zegt ge, 'en de rest heeft uw zoon moeten wegdoen.'

'Al mijn schone meubels?' vraagt hij ontzet.

'Pa, uw schone meubels hebt ge verkocht; ge hebt er u tweedehandse gekocht bij een bedrieger die zijn eigen moeder zou vermoorden voor honderd frank en nu zoudt ge van mij willen weten waar uw schone meubels naartoe zijn...'

En uw stem beeft. Want hij zei geen woord over uw moeder. En ge zijt jaren niet in zijn doolhof gaan lopen. Ge hebt zijn deur en zijn aanwezigheid als de pest gemeden. Pas toen de sociale woningdienst verwittigde dat het niet meer ging, zijt ge hem gaan opzoeken. Met lood in de schoenen. Maar om al zijn miserie hebt ge uw hart geweld aangedaan en ge zijt tussengekomen. Omdat ge het ooit, in een ver en hard verleden, aan uw moeder hebt beloofd.

'Mijn kind,' zei ze opeens, zeventien dagen voor het ongeval, 'als ik er niet meer ben, gaat gij dan voor hem zorgen?'

'Ja,' hebt ge gezegd. Ge mocht geen neen zeggen want dan had ge haar moeten uitleggen waarom! En ze nam uw handen in de hare en ze schreide. En er rolden ook tranen in uw verharde ziel.

Uw hart schuurde tegen uw ribben en tussen uw twee borsten zat een felle pijn. Mijn levensstreng, dacht ge.

'Dank u, mijn kind,' zei ze.

Het draaide en keerde in uw maag, waar juist het voorgerecht zeevruchten werd ingelepeld. En om uzelf het zwijgen op te leggen, inviteerde ge hen acht dagen later, op oudejaarsavond, opnieuw. Een paar dagen voor haar dood. Avond waar zij – voor de eerste keer – vertelde over haar leven als vrouw.

'Make, toch,' zeidt ge, want al die zaken waren u totaal ontgaan. Ge waart te veel bezig geweest met uw eigen problemen. In het holst van de nacht reed ze weg – uw moeder – ge hebt ze niet meer levend teruggezien... Het afscheid was er al geweest. Ze had gebeefd, toen ze u alles in een snok en met de hulp van de wijn vertelde. Ge hebt haar blauwe vlekken gestreeld. En haar bibberende kleine handen. Uw handen trillen nu ook, maar dat komt door de kater. En dan begint hij. Ge zet u en ge luistert omdat ge er nu eenmaal zijt. En al die tijd ziet ge uw moeder naast hem; ze lacht verdorie.

'Gelijk mijn nichte Clementine. Mijn zuster heeft, als ze nog bezig waren met de sacramenten, ook alles op haren naam gekregen. Een gans huis heeft ze geërfd, want ha, ja, Clementine was een oude vrijster en meetje van mijn zuster haar kleine. Slim uitgevonden. Haar eigen moeder mocht nog geen meetje zijn, want ha, ja, daar was ze niet goed genoeg voor. Daar waren geen kluiten te vinden, daar in dat barakske op den Afrikalaan... En mijn vrouw heeft toen nog gereclameerd en gezegd: ge gaat gij en uw broere daar toch wel wat aan doen zeker?

Maar daar was niets aan te doen, dat was al gearrangeerd, jong. Veel te goed zijn we altijd geweest, veel te eerlijk. Maar stom ook, want wij keken nog naar plicht en hadden wij Clementine moeten aantrekken en daar elke zondag naartoe geweest, we zouden wij ook wat gekregen hebben.

Want geld dat dat mens had, ge kunt dat toch wel peinzen, haar vader gans zijn leven ne vaste post bij de spoorweg en haar moeder kokkesse bij de rijke mensen. Ze hing een schaap een ganse week boven hare beerput en ze diende het op als reebok.

En daarna hadden ze diene winkel van porselein. Als daar geen geld mee te verdienen was!

En mijn dochter kreeg een pop van voor den oorlog, de benen waren eruit en ze had geen haar meer. En eens een kilo appelsienen. Het was nogal ne vette. Maar dat mijn gerief weg is, dat weet ik niet meer...

En waar zijn al mijn kleren dan? En mijne teevee? En mijn papieren? En mijnen auto?

Dat ze maar ne keer in mijn kasten kijken, al die hemdens dat ik nog heb en mijn schoon kostuum van als mijne zoon getrouwd is.

Hebde gij hem nog gekend, mijne zoon? Ik zal hem ne keer moeten schrijven maar ik weet zijn adres niet meer.

Hij zal zeker niet weten dat ik hier nu ben? Verdomme, hoe kan ik hem dat nu laten weten. Naar zijn werk heb ik al gebeld, maar ha, ja, ik hoor dat niet als ze mij zeggen waar dat ik hem kan vinden. En dat is van de klosse, daar draait het hem allemaal om. Moest ik weten waar dat die woonde, ik zou er ne keer kunnen naartoe gaan...

Mensen, mensen, oud worden is toch iets. 't Is maar als ge in dat straatje komt, dat ge weet welke huizen er afgebroken zijn.

Ik zou ne keer naar mijn jongste zuster ook moeten schrijven, maar haar adres heb ik ook niet meer, allez, ik rappeleer het mij toch niet meer.

Mijn vrouw zou haar wel weten wonen. Die wist alles, die kon alles en die zei nooit iets. Een goed wijveke was dat; alles deed ze voor mij en ik mocht al ne keer iets uitgestoken hebben, ze zei zij daar nooit wat van. Twintig jaar is die al dood, sla mij dood, ik weet niet meer waarvan. Weet gij nog waarvan dat ze dood is?

Ha, ja, ge zijt gij hier ook, zie ik. Zijt ge hier al lang? Bij nee, zeker, ik zou u toch gezien hebben, wat is dat nu met mij... Op den duur zoudt ge aan uw eigen nog beginnen twijfelen.

Mijn voeten doen pijn... Ze beginnen soms te zwellen en ge zoudt eens de dokter moeten laten komen en voor mijn handen ook, want die tintelen en soms heb ik er geen gevoel meer in.

Welke wind waait u hier naartoe? Ha, ja, ge komt gij om mijne was zeker? Ik had het nog gepeinsd in mijn eigen, ik en heb haar nog niet gezien van de week, ze zal niet kunnen met de kleine zeker?

Ben ik nu zo mis of hebt gij mij niet gezegd dat ge ne nieuwe vriend hebt of was het nu ook niet dat hij weg was? Allez, ik kan niet ver mis zijn, of ge zit met ne nieuwe of hij is vertrokken... Ge zit in 't sukkelstraatje gij, maar ge hebt daar altijd gezeten, voor zover dat ik mij dat nog rappeleer. Ge hebt nooit een man kunnen houden. Dat komt ervan als ge mee baas wilt zijn. Er mag altijd maar een meester zijn, zeg ik. Kijk maar naar een hond, die heeft er ook maar een. Gelijk mijn bouvier, in de tijd.

Tiens, waar heb ik diene pull nu gehaald, dat is de mijne niet! Van u gekregen?'

En ge stelt u recht, ge geeft hem een afwezige zoen en ge zegt dat hij zorg moet dragen voor zijn geld, dat hij het niet mag verliezen, dat ge de dokter zult laten komen en dat ge weer komt als-hij-het-wel-zal-zien.

'Ja, ja, mijn kind,' zegt hij, 'ik weet wel dat ge altijd zo ongeveer komt als mijn geld op is.'

En hij pakt u nog eens vast en hij zegt:

'Hebt gij mij geld gegeven?'

Ge slikt eens, ge knikt en ge gaat. Uw katerhoofd is verdwenen. Maar ge zit nu wel met een pijnlijke krop in uw keel. Want nu zei hij wel iets over uw moeder. En ge staat oog in oog met een vergeelde oude belofte. Jeannetje heeft dat ook in de familie, zegt ze.

'Moest mijn moeder alles weten,' zei ze, 'het menske.'

17

Lefdevede

Jeannetje was lusteloos geworden. De helft van de dag bracht ze door in bed. Soms wou ze huilen, maar ze kon het niet. Ze vertoonde alle symptonen van liefdesverdriet.

'Veel chocolade eten,' hebt ge haar de raad gegeven, 'daar zit lecitine in. Goed tegen verdriet. Vooral fondant van *Côte d'Or*.'

Een dubbel pak heeft ze zich gekocht. Ze kan er haar tanden op breken.

Ze is zo onhandig geworden, ze laat alles uit haar handen vallen. En van poetsen komt al evenmin veel terecht. Want de helft van de tijd is ze afwezig.

'Ik mis hem,' zei ze. En ze meende wat ze zei, want ze zette water dat nog maar pas gekookt had, op voor de afwas.

Ge hebt dan maar gezegd:

'Jeannetje, laat het hier maar liggen. Het loopt niet weg. Doe maar waar ge zin in hebt.'

Eerst ging Jeannetje naar de kapper: de therapie tegen vrouwenverdriet. Liefdesverdriet, lefdevede.

Ze liet het haar golven.

Ze zag in de spiegel randen onder haar ogen. Weg die randen!

De volgende stap was *Yves Rocher*, omdat ze gelooft dat in die make-up produkten minder dierlijke dinges zitten en dat die inderdaad plantaardig zijn.

Ze heeft voor haar doen overdreven en zich een zalmroze lippenstift gekocht. Naar het schijnt koopt men zich dat maar, als men voor het andere geslacht aantrekkelijk wil zijn, las ze in een damesblad.

En het wonder geschiedde. Ze was nog maar pas terug thuis, ze stond nog met het pakje – nieuw rokje ook – in de hand of daar ging de telefoon.

'Hallo,' zei ze.

En dan... de hemel spleet open, want zij hoorde zijn Lee Marvin-stem – *I was born under a wondering star* – en zij trilde over al haar leden.

'Ik ben het,' zei hij.

'Ik hoor het,' zei ze.

'Zijt ge thuis vanavond?' vroeg hij.

'Waarom?' vroeg ze en ze hoopte dat hij haar emotie door de draad niet zou ruiken, want ze transpireerde aan alle kanten. Bovenkant, onderkant, zijkanten en zelfs de binnenkanten.

'Ge zoudt eens voor mij een formulier moeten invullen,' zei hij, 'ge weet dat ik daar zo'n hekel aan heb!'

'Ja, dat weet ik,' zei Jeannetje met een heel klein stemmetje. Een Amerikaans, uit een Walt Disney-film. Olijfje van Popeye... Pas gered uit de klauwen van de bonk.

'Ik moest wel ergens heen, maar dat kan ik wel afzeggen; geen probleem,' fluisterde ze.

'Zeven uur?' vroeg hij.

'Maak er zes van,' zei ze.

'Was ik vergeten,' zei hij, 'ge houdt niet van oneven getallen.'

'De hoeveelste zijn we vandaag?' vroeg ze.

'De dertiende,' zei hij.

'Doet er niet toe,' meende ze.

'Blijft ge eten?' aarzelde ze.

'Graag,' zei hij.

'Tot dan,' zei Jeannetje, 'da-ag.'

En ze legde de hoorn neer, ze draafde door haar flat en begon op te ruimen. Van eigen vlijt zag ze haar schoorsteen niet meer roken, al vergat ze de brander op minder te zetten. Die met z'n artificiële ogen vloog ergens in een lade, onder haar ceinturen. Daar keek hij toch nooit.

Ze had nog twee uur. Ze jachtte. Afwassen. Stofzuigen. Kleren op kapstokken hangen. Schoenen in de kast zetten. Spiegel opblinken. Toilet schuren. De bril afkuisen, rollen op de houder steken. Bed opmaken. Kranten verzamelen en in de recyclagedoos doen. IJskast ordenen, nog waar ook: vuil goed in de wasmand...

Naar de slager rijden. Soep kopen. Een malse biefstuk, sla en tomaat en ingevroren friet. Niet te vergeten, twee taartjes voor na het eten...

Koffie zetten. Sla spoelen en droogzwieren, ajuin fijnsnijden, olie en azijn, de tafel dekken. Friteuse nemen, bakboter klaarleggen, bordje, vork en mes. De gootsteen uitwassen en afdrogen. Zo, klaar.

Ze had wanordelijk en niet reglementair volgens huishoudelijke normen gehandeld.

Maar zo was ze: met het krimpen van haar opgelegd vrouw-zijn, deed ze ook het huishouden op haar manier.

Ze zag door het bos eindelijk de bomen. In haar spiegel bekeek ze haar nieuwe kapsel. Stond het haar wel? Ja, het maakte haar jonger. Glorie. Ze zag er op haar vijftigste uit als haar moeder op haar veertigste. Dacht ons herboren Jeannetje. De liefde stond weer op haar te wachten. Bijna aan haar voordeur, bijna aan haar tafel en bijna in haar bed...

In de haast bij het omkleden, vergat ze de prijs van het rokje te halen. Ze zou er haar rose bloes bij aantrekken, dat verzachtte haar gelaat. De lippenstift. Mooi. Jeannetje bekeek zichzelf in de grote spiegel van de kleerkast. Kousen! Kwart voor zes!

Haar hart begon te boemen. Haar handen waren klam.

En dan opeens, de bel. Eén keer. Twee keer. Goed.

Ze vloog naar de voordeur en daar stond hij. Kortgeknipte haren, nieuw jasje, gepoetste schoenen. Met een bosje bloemen in de ene hand en in de andere het formulier.

'Voor u,' zei hij en hij nam haar in zijn armen.

'Ik...' zeiden ze alle twee.

Hij lachte, zij huilde.

'Ik heb u zo gemist,' zei hij.

'En ik u ook,' zei Jeannetje.

Na het eten – de liefde van de man gaat door de maag, moet ze gedacht hebben – zei hij:

'Kijken we naar de boksmatch vanavond?' en zij zei:

'Dat wordt laat dan' en hij zei:

'Dan doen we eerst maar een dutje...'

Bij het uitkleden zei hij, nuchter als altijd:

'Jeannetje, ik wist niet dat gij voor negenhonderd vijfennegentig frank te koop waart!'

'Dan weet ge het nu,' zei ze.

En daarmee was alles gezegd. Maar nog niet gedaan. Hij rook naar *Johnson's babypoeder*. Jeannetje kietelde hem kiele-kiele onder de kin, wat hij belachelijk vond. Door een microscoop zou de kamer er kunnen uitzien als een *Brie*-kaas. Een wereld van geuren en smaken. Maar dan zouden we eerder aan *Herve* moeten denken... met haar zweetvoeten. Het moest er krioelen van de microben!

Het verloop was niet zo teder als Jeannetje wel gewild had. Er ontbrak een fijn subtiel gevoel van lichamelijke eenwording. Jeannetje kon er zelfs bij nadenken, helemaal tegen haar gewoonte in.

Vroeger, dacht ze, toen ik nog jeugd bezat, wilde ik alleen vrijen in het donker. Misschien uit preutsheid, misschien vanuit een trauma, misschien uit schrik om in ogen waarheden te lezen.

De overgordijnen of de rolluiken moesten wel altijd op een kier...

Daarna kwam de eisende tijd van licht. En nu, dacht ze, nu lig ik hier in vol licht en houd mijn ogen dichtgeknepen.

Hier klopt iets niet, dacht Jeannetje. In het donker: ogen open. In 't licht: ogen dicht.

Ze besefte dat een liefdesbreuk nooit ongezien gelijmd kan worden en dat geen enkele klok kan teruggedraaid... Aan het bedrijf der liefde had ze zelfs geen seconde gedacht! En dit besef deed haar onder zijn lichaam beven. Van genot, dacht hij. Hij lachte naar haar. Met ontblote tanden. Valse. Hij heeft zichzelf opgelegd, met de kramp van de lach, opnieuw met mij een relatie aan te gaan. Dacht Jeannetje.

En ze lachte democratisch terug. De chocolade die ze zich gekocht had, zou ze niet meer eten, anders kon ze in haar rokje niet meer!

'Jeannetje,' vroeg haar vriend, 'ge zijt toch niet vreemd gegaan?'

'*AIDS*,' zei ze en ze dacht aan de zinloze minnaar die onderin de kast, tussen haar ceinturen, goed ingesnoerd zat.

Eind goed, bijna al goed. Jeannetje informeerde bij hem naar de toestand van de wereld maar hij kon er dit keer niet op antwoorden.

'Weet ge, Jeannetje, zonder u kan de wereld me geen barst schelen. Ik leef zonder u in een vergeetput.'

En die uitspraak leek haar nogal Freudiaans. Snuffelend aan zijn lijf, hem zoenend op de mond, ruikt ze hoe hij zweet. Hij doet haar denken aan een katachtig dier dat de lijfelijke geur als bescherming heeft gekozen, of als aantrekking. Het bloed van de volgende prooi. Haar, Jeannetje dus. Ze kent hem maar al te goed.

Hij heeft een scherpe reuk, scherp gehoor en hij is vlug van begrip. Hij denkt niet zoals zij. Hij denkt tegen haar in, tegen de anderen in. Hij heeft handen van een oude mandarijn, met in de lucht vreemde en ingewikkelde gebaren. Het lijkt erop dat hij voortdurend vliegen en muggen verjaagt. Niks van, hij vangt ze.

Zoals hij Jeannetje ving. En hoe!

'*What a difference a day makes, and the difference is you*,' zong Jeannetje de volgende morgen, toen ze twee sinaasappelen perste.

Juist. De ene fluisterde tot de andere:

'Haar vriend is terug. We zullen eens kijken hoelang het nu zal duren.'

'Dat zullen we nooit weten,' sprak de andere, 'we zijn de laatste twee, ze zal ons over haar persertje duwen.'

'De ros,' zei de eerste weer.

Juist? Nee, hoor! Jeannetje heeft zich de haren, ja ja, hier komt het: blond laten verven. Blond. Blond Jeannetje. Haar grijze haren zijn verdwenen. Voor een tijdje toch... Jeannetje was gelukkig.

'Ik ben gelukkig,' zei ze en wie kan dat nog zeggen? Toch als ge Jeannetje van Diependaele heet, van de naald toch!

En schrik niet... Jeannetje leerde weer met de ogen open te vrijen. Hoe dat kwam? Haar hartje werd zo groot als een platte boon, de dag dat hij zei:

'Kom, Jeannetje, laat ons *ons* kind dit weekend halen. De sukkel kwam al zo lang niet uit dat instituut...'

Haar mond viel open en bleef gelukkig niet zo staan. Ze kon weer spreken en monkelen.

'Ge weet nooit hoe een koe een haas vangt,' fezelde ze.

'Wat?' vroeg hij.

'Eindelijk zei je *ons* kind,' antwoordde Jeannetje.

'Deed ik dat niet altijd?' vroeg hij, terwijl hij de wijzers van de keukenklok juist zette.

'Natuurlijk wel,' zei Jeannetje, blozend om het eigen leugentje. En ze voegde eraan toe:

'Wij en niemand anders.'

'Juist,' zei hij, 'wij drieën en niemand anders.'

'Er moeten nieuwe batterijen in, denk ik,' merkte hij op.

'Alles is maar tijdelijk,' vond Jeannetje, 'wij verslijten ook.'

'*Panta rei kai oedein menei*,' zei hij.

'Wat?' schrok ze, bang dat hij echt een mandarijn werd.

'Alles vloeit en niets blijft,' vertaalde hij. Heel ernstig. 'Herakleitos.'

'Oh, dat...' zei ze.

'Ho, ho, ik blijf wel,' zei hij en hij trok haar tegen zijn gilet.

En daar gingen ze... de sexuele revolutie ver vooruit!

'Ik heb u zo oprecht lief,' zei hij in haar oor.

Ze zuchtte..

'En ik u ook,' fluisterde ze, ook in zijn oor.

18

Ziende kunt ge ook blind zijn

Hij is terug en zit op de stoel waar hij vroeger ook zat. Hij leest de krant die hij altijd al heeft gelezen. Hij is een trouw man. Hij is een begripvol man.

Hij drinkt zijn sinaassap en zijn koffie. *Black.* Gij drinkt die ook zo. Ge stelt u recht, ge neemt de bladen die al klaar zijn, ge schikt ze en ge loopt ermee naar hem.

En onderweg neemt ge uit uw rieten mand een sigaret.

'Toe, lees eens?' vraagt ge.

Hij zucht. Hij ziet uw hulpeloze blik.

'Vooruit dan maar,' zegt hij, 'geef mij die verdomde papieren en al uw hoofdbreeksels. We zullen zien wat gij daar nu weer allemaal uitgevonden hebt.'

Ge geeft hem de gewrochten van uw gedachten. Hij leest, zwijgt, trekt aan zijn sigaret. Door de rook ziet ge zijn ogen over de tekst vluchten. En als hij u de bladen teruggeeft en met de andere hand zijn sigaret in de groene asbak dooft, kijken zijn ogen zoals gewoonlijk staalhard.

'Taalkundig zit ge niet goed,' zegt hij, 'maar ge schijnt wel de sexuele revolutie te hebben meegemaakt.'

'Ik ben geen taalvirtuoos, ik wil schrijven,' zegt ge.

'En ik die dacht dat schrijvers noodzakelijk taalkunstenaars moeten zijn,' antwoordt hij.

'Dat kan,' zegt ge, 'maar niet noodzakelijk. Schrijven is het gevoel over iets te moeten schrijven, omdat ge er anders ziek van wordt. En trouwens, grote literatuur bevat veel futiele zinnen.'

'Waar haalt ge dat weer uit? En zou het geen tijd worden om vanachter uw klavier te komen en naar het bad te gaan, voor onze wekelijkse grote kuis?' vraagt hij minzaam.

'Ja,' zegt ge en ge neemt twee handdoeken, twee stukken zeep, twee kammen, twee stel ondergoed – een mannelijk en een vrouwelijk – en twee plasticzakken.

En ge duwt de knop van uw computer in. Salut. Saluutjes. Computerke...

In het wagentje, dat door de vochtigheid twijfelt tussen starten of zwijgen, steekt ge een sigaret aan. De zoveelste. Langs de baan ziet ge een jong verliefd koppeltje staan zoenen, op zijn Amerikaans. Nat. Die hebben lak aan heel de wereld en ge weet dat ge dat beter ook zoudt doen. Niet van dat Amerikaans zoenen, want die tijd is voorbij, er is tederheid voor in de plaats gekomen, maar van aan alles uw botten te vegen. Ge ergert u aan die moordjongens, die met hun rijdende discotheek denken dat ze uw kleine autootje zomaar van de baan kunnen schieten. Omdat ge te traag rijdt en u aan de normen houdt. Er lopen te veel spelende kinderen. Ge ergert u omdat ge langs de kunstveilingzaal rijdt en ge er niet durft binnengaan. Want daar zijn weer zoveel redenen voor.

Eerst en vooral zou het bekijken van schilderijen u geen goed doen, want ge zoudt de wereld ook zo willen schrijven. Met kleuren, niet met woorden, niet met zwart-wit. Ge hebt geen grijs en die schilder wel. Gij moet die woorden onherroepelijk neerpletsen, de lezer kan daar niets anders van maken. Ge voelt uw eigen onmacht.

Ten tweede kunt ge zo'n werk, als het u al zou aanspreken, niet betalen.

Ge kunt u nog geen bad laten plaatsen. En weer voelt ge opstandigheid en ge sakkert op uzelf omdat ge u durft druk te maken over een schilderij, over een woord en over een bad. Waar er zoveel mensen sterven, die zich nooit meer zullen moeten wassen. Terwijl gij uw handen in onschuld wast, liggen ze elders te creperen. Daarover zoudt ge moeten schrijven, maar nee, ge schrijft over incest en over daarvan genezen door echte liefde.

Precies of dat de wereld beter zal maken...

En ge hoest omdat de rook door het verkeerde keelgat schoot, ge schakelt over in een andere versnelling en ge rijdt door de miezerige regen naar de Openbare Stedelijke Badinstelling, die toevallig de Van Eyck heet, naar beroemde schilderbroeders dan nog, goddomme. Daar staan nog baden van ver voor de oorlog; de hokjes zijn er alleen opgelapt en het is er warm. Ook het water. Zelfs daaraan hebben ze gedacht. Meer konden ze niet geven. Want wie zich de dag van vandaag nog openbaar moet gaan wassen, is toch geen burger zeker? En *citoyen* nog minder.

Voor armoezaaiers steekt het niet zo nauw. En dat aanvaardt ge allemaal. Omdat ge moet. Ge zoudt er beter eens aan denken een brief naar het stadsbestuur te schrijven met weinig vijven en veel zessen en hen te vragen waarom het zo lang duurt voor ze aan hun sociale woningbouw wat doen.

Ge weet ook wat ze u zullen antwoorden. Ze zullen zeggen:

'Als ge maar zoveel kunt betalen en niet meer, dan kunt ge voor twintig frank niet op de eerste rij willen zitten.' Zoals in het theater.

En ineens voelt ge u werkelijk een paria. Zo'n beetje Koerd of zo'n beetje Sahelbewoner. Die zitten ook zonder water. En die hebben ook geen bad, zelfs geen sociale woning. Wel tenten.

Want tenslotte behoort ge tot een minderheidsgroep op twee fronten. Het front dat met woorden wil vechten en het front dat kansarm is. Ge zoudt u voor minder schamen in onze welvaartsmaatschappij. Uw vriend heeft daar niet zoveel moeite mee. Hij is van ver voor de oorlog en zijn vader sneuvelde in de Spaanse burgeroorlog en hij is fier op zijn vader die zijn leven gaf in het teken van rechtvaardigheid en solidariteit onder de mensen. In het licht van een ideaal.

Zes jaar was hij toen zijn vader sneuvelde en zijn nonkel Alfons hem zeggen moest:

'Jongen, uw vader is gestorven te Barcelona. Gij zult nu voor uw moeder moeten zorgen!'

En van dan af begon hij tegen het leven te boksen, zonder handschoenen en met respect voor alle leven. Geen vlieg kan hij kwaad doen. Maar hij wil nooit onder de Spaanse zon liggen bruinen.

Schouders heeft hij als een os, want in de oorlog stuurde de jeugdrechter – zijn voogd – hem naar de boeren.

'Boerenhulp aan Stadskinderen,' zeiden ze daar tegen.

Van de ene boerderij naar de andere, van Etikhove naar Schorisse en vandaar naar Markekerkem... Hij leerde er Frans en Westvlaams en de dierentaal van in de stallen bij de beesten te moeten slapen.

Dat zijn moeder blind werd, nam hij erbij.

'Ziende kunt ge ook blind zijn,' zegt hij.

En daarom zegt hij tot u:

'In mijn wijk gaat de stad ook renoveren met die tachtig of zoveel miljoen die de Vlaamse Gemeenschap daarvoor uitgetrokken heeft. Weet ge goed wat dat betekent, zo'n bedrag voor mensen zoals wij? Weet ge goed wat dat wil zeggen voor een stad als de onze, waar elk huis staat te verkrotten elke minuut dat ge er voorbijloopt? En waar de daklozen niet te tellen zijn?'

'Ik kan dan bij u een bad komen nemen,' zegt ge.

En als ge de badbonnetjes koopt en honderdentien frank neertelt, kijkt de loketbediende – in het wit – u aan en ge leest in zijn ogen: nog twee zonder bad.

Ge voelt u nog vuiler in uw vel. Uw vriend niet. Hij leerde overleven. En gij, arm schrijverke, die probeert in woorden wat rechtvaardigheid te leggen en daarom voortdurend struikelt omdat ge in de knoop ligt met de juiste woordkeuze die de lading niet dekt, draait de rode waterkraan van na de oorlog open en aan het water voelt ge dat het deugd zal doen.

En ge voelt zoiets als dankbaarheid. Maar ge hebt intussen wel in de kuip gekeken of die proper was... Dankbaar kunt ge zijn, maar proper moet ge blijven!

In het warme water dompelt ge uw kop onder. Ge zeept u in en ge roept door de muur tot in de andere cabine:

'Wie het eerst een badkamer krijgt, moet het water betalen.'

'Akkoord,' roept uw vriend, 'op voorwaarde dat we elkanders rug wassen.'

En ge hoort hem lachen dat het water in uw bad op eb en vloed begint te gelijken. Als dat maar geen teken is dat het zou kunnen stormen, want ge merkt dat hij uw behoefte aan een eigen bad, in een duurder appartement, geen noodzaak vindt. Toch niet als hij in de kosten zou moeten delen, denkt ge.

Misschien kwam hij wel terug om zich tijdens de gure winter bij uw vuur te komen warmen en verdwijnt hij weer als de zon schijnt. Want die is gratis. Met mensen die leerden te overleven, kunt ge u aan alles verwachten. Ik ben te achterdochtig, denkt ge en ge spoelt u af met koud water om uw borsten stevigheid te geven.

En ge neemt een handdoek om uw druipende haren te drogen, een tweede om uw borsten te verbergen – voor wie eigenlijk? – en tegelijk denkt ge eraan dat ge een schilderij van Gauguin in stijl zoudt kunnen uitbeelden. Met een handdoek om uw middel en met ontbloot exotisch bovenlijf! Want ge hebt een dik bruin vel. Het kraakt als ze u spuiten moeten geven...

Een handdoek om uw voeten op te zetten is er niet, dus staat ge koud en nat te druipen op de witte cementtegeltjes. Ze zullen weer moeten dweilen, na uw vertrek. Daar hebt ge tenslotte honderdentien frank voor betaald!

19

Les sansculottes

Jeannetje is afscheid komen nemen. Ze had zijden bloemen gekocht.

'Ik hoop dat ge ze mooi vindt,' zei ze, 'want ik weet dat ge bloemen liever in hun grond laat staan en dat ge van plastiek niet houdt. En deze moet ge ook geen water geven, want ge hebt geen groene vingers.'

Ze heeft u de juiste reden dat ze u in de steek laat niet verteld, maar ge weet dat Jeannetje wel een gegronde reden zal hebben. Misschien vond ze dat ze te veel aan u gehecht begon te raken en gij aan haar. Ge zijt ook zo: als iemand u dierbaar wordt, dan voelt ge dat ge te veel weggeeft van uzelf. Dat is ongezond.

Ge hebt koffie gezet.

'We hadden toch een fijne tijd,' zei ze, 'bij u voelde ik mij niet alleen maar een poetsvrouw.'

'Ge zijt geen poetsvrouw, Jeannetje,' hebt ge gezegd en ze slurpte aan de koffie die te heet was.

'Nee, niet echt,' zei ze, 'ik ga beginnen schilderen, met kleuren. De vormen zal ik wel niet in orde krijgen, maar het is met kleuren dat ik dat gevoel in mij kwijt wil, zoals gij dat met woorden doet.'

Daarna hebt ge een tijd gezwegen, door het raam gestaard terwijl ze uw werk voor de laatste keer las. Ze gaf er geen commentaar op.

'Hoe is het nu met uw vader?' vroeg ze.

'En hoe is het met de uwe?' hebt ge ook gevraagd.

'Slecht,' zei ze, 'hij begint meer en meer in het verleden te leven. Er zijn momenten dat hij mij niet eens meer kent, er zijn momenten dat het goed gaat.'

Ge hebt geknikt. Bij u is dat ook zo.

'Hebt ge voor mij geen aspirine of een poedertje van het *Wit Kruis*?' vroeg ze, 'want ik heb zo'n hoofdpijn.'

'Ik ook, mijn hoofd danst precies de fietel... Maar poeders zijn slecht voor de nieren, een Asproke-bruis heb ik wel.'

We namen een tablet tegen die pijn die ons hoofd samentrok als hadden we er maar een half meer over. Maar twee halven zijn ook een geheel.

'Gisteren was het al bijna lente,' zei ze, 'met in mijn plantsoentje al uitschietende sneeuwklokjes en vandaag is het opeens weer zo koud...'

Zoals haar lach, die ligt bijna te bevriezen rond haar mond, want dat afscheid doet haar mogelijk meer dan ge zelf denkt of weet.

'Ik zal u missen,' zei ze, 'ge waart al bezig een stuk van mij te worden.'

Ik knikte, want ik had datzelfde gevoel.

'Ge draagt oorringen,' merkte ge ineens op, 'ge had gij toch geen gaatjes? Hebt ge mij niet verteld, dat ge daar tegen waart?'

En ze vertelde u de geschiedenis van die oorringen, die vanzelfsprekend weer een ongewone is. Het zou Jeannetje niet overkomen zijn...

'Ge weet,' zei ze, 'dat ik te veel rook en mijn vriend zei: *Jeannetje, ge moet daar wat aan doen. Er bestaat daar tegenwoordig een soort kauwgom voor, Nicorette geloof ik, zei hij, die wel nicotine bevat, maar die de longen niet aan-*

tast. En door het innemen van die twee milligram nicotine per tablet, kunt ge geleidelijk dat gehalte in uw bloed minderen en er zo van afgeraken.'

'En?' vroegt ge nieuwsgierig, omdat ge ook met dat rookprobleem zit.

'Wel,' zei ze, 'de huisarts heeft mij die *Nicorette* voorgeschreven. Ik begon te kauwgommen. Het was precies peper waar ik op zat te bijten, met als gevolg dat ik nicorette en nog smoorde bovendien: want dat gevoel van die sigaret tussen uw lippen is door niets te vervangen. Ik kreeg nog meer nicotine in mijn bloed en mijn wekker tikte en boemelde zo raar. Ik liet dan maar de kauwgom en stapte naar een homeopaat, die mijn oren bij een bepaalde zenuw doorprikte.'

'Ge zult gij daar nu van af zijn, Jeannetje,' zei hij.

'Hielp het?' vroeg ik.

'Wel neen,' zei Jeannetje, 'ontwennen moet ge toch door eigen wilskracht.'

'Maar ge kunt nu wel oorringen dragen,' zei ik.

'Ja,' zei ze, 'al heb ik wel het gevoel dat die mijn oorlellen uitrekken, zoals de negerinnen met hun lippen doen, ge weet wel: met die in- en uitschuivers.'

'Ge zit dus nog altijd met dat rookprobleem,' zei ik.

'Jammer,' zei ze, 'want kostelijk dat het is: die van mij, die van mijn vriend en die van mijn vader!'

'Die van uw vader hoeft ge toch niet te kopen,' zei ik.

'Dat wel,' zei ze, 'maar hebt ge al gelezen wat er op de voorkant van de pakjes staat?'

'Brengt de gezondheid ernstige schade toe.'

'Gaat ge nu met uw vriend trouwen?' vroeg ik, 'nu alles weer in orde is?'

'Nooit,' zei ze, 'dat lappen ze mij niet meer!'

'Ha, ja,' zegt ze opeens met heel veel enthousiasme, 'ik kreeg vanmorgen een kaart van de sociale woningdienst. Ik heb een appartement. Nu ik het niet meer verwachtte. Want ge kent dat: twee jaar staat ge er ingeschreven en dan ineens, die toewijzingskaart. Ge zult nooit geloven welke naam mijn huisvestingsblok draagt. Achttien verdiepingen hoog. En ze overhandigde mij het bewijs. Een residentie met een naam als een klok!

'En uw vriend, Jeannetje?' vroeg ik opnieuw.

'Nu zullen we eindelijk het uur van de waarheid kennen,' zei ze gewichtig.

'Hoezo?' vroeg ik.

'Als die zich bij mij wil laten inschrijven, dan zit ik op rozen,' zei Jeannetje. 'Ik hoop dat hij wil helpen verven en behangen; dat hij financieel ook een duit in de zak doet.'

'En zo niet?' vroeg ik.

'Dan heb ik voor de zoveelste keer een zwalpei beet,' zuchtte ze.

'Wat dan?' vroeg ik.

'Afhaken,' meende ze, alsof het om een telefoonverbinding ging.

'Ik hoop voor u, dat uw boeken inslaan,' zei ze, 'het zou een zware dobber worden als het tegenviel.'

'Ach, Jeannetje,' zei ik, 'dan zou daar ook niks aan te doen zijn.'

Met spijt in het hart is Jeannetje uit uw leven gestapt. Zo maar en met nog meer weemoed, liet ge haar gaan. Ze keek naar u, die naar dat raampje bleef staren, zoals ge dat naar uw computerscherm ook doet.

Ze zei uw naam nog een keer en verdween uit uw gezichtsveld.

Moge het haar verder goed gaan.

'Ik zal u missen, Jeannetje,' zei ik en duwde de knop van mijn computer uit; ik heb ineens geen drijfveer meer om te schrijven.

Ik zal mijn ramen zemen, want ge kunt de overkant van de straat niet meer zien. En als het dan nog mist, hebt ge helemaal geen uitkijkpost meer. Vandaag is zo'n dag. Een dag vol mist en weemoed... want afscheid nemen, valt altijd zwaar.

Ik hoop dat ik haar tegen het lijf loop, in een boekenwinkel misschien of op de oude markt. En misschien op tentoonstellingen van schilderijen, nu ze gaat schilderen.

'Mogen de goden u beschermen, Jeannetje,' prevel ik en zoals uw grootmoeder het zei als ge niesde:

'God zegene en beware u, mijn kind.'

En zoals uw vader het zegt:

'Het is beniesd, het is de waarheid.'

Atjie... ie... ie.

'Ge hebt een verkoudheid, geloof ik,' zegt uw vriend.

'Zijt ge bang dat ik u zou besmetten?' vraagt ge.

'Ja,' zegt hij. 'En met een verkoudheid kunt ge niet meer schrijven,' voegt hij eraan toe.

'Jawel,' zegt ge.

'Blijft gij maar binnen,' zegt hij,' ik zal vanmiddag wel naar uw vader stappen.'

En kijk zie, dat is muziek in uw oren. Dat is *Peer Gynt* onder leiding van Herbert von Karajan. Dat is een overwinning op de *sansculottes*... En ge neemt hem in uw armen en de zoen die ge hem geeft, klinkt tot in Canossa...

'Ha, ja,' zegt ge nog vlug, 'ik kreeg een sociaal appartement toegewezen, maar wie zal die verhuis betalen?'

'Ik, natuurlijk,' roept hij nog vanop uw krakende trap.

En ge zet u aan uw eigen tafel, die ge kocht met eigen geld en ge neemt uw eigen hoofd tussen uw handen. En het weekblad dat opengeslagen ligt, toont u een spetterende reclame van tandpasta. Ge slaat het blad om. Want ge zijt bang dat die hagelwitte tanden u wel eens zouden durven bijten. Zoals ge daarjuist gebeten zijt. Door uw domme achterdochtigheid.

Ge zult dat in uw volgend leven moeten afleren. En ge zijt er ook zeker van dat ge dan een echte schrijver zult zijn, samen met hem. Want in uw reïncarnatie zult ge hem meetrekken. Om met hem samen te zijn. Een leven lang...

Verdomme, wie ziet ge de dag van vandaag nog een liefdesverklaring op papier zetten?

Ik.

'Spreek de waarheid,' zei de recensent.

'Spreek de waarheid,' zei de lezer.

'De waarheid, niks anders dan de waarheid,' stamelt ge.

'Zo helpe me mijn vriend!'

Ze zeggen dat ik gek ben

Marcella Baete

Fragment uit deze debuutroman, verschenen voorjaar 1992. 'En om al die redenen en om nog veel meer kan het mij weinig verdommen wat er uiteindelijk over mijn werk zal verteld worden. Omdat ik ook weer een stukske minder werd. Want in dit gewrocht steken de kamers van mijn ziel, het karkas van mijn geweten, het geraamte van mijn gevoel. En met de rest zijn ze al gaan lopen!'

'In een onthutsend directe stijl leidt Marcella Baete ons binnen in het wereldje van de *sociaal onaangepasten. Een bewogen verhaal, waarin de humor nooit ver weg is. Wat ze ook mogen zeggen, schrijven kán Marcella Baete.'*

Feeling, augustus 1992

'Marcella, ik heb uw boek met plezier gelezen. Echt waar. Zij het een beetje laat, maar alla.'

Tom Lanoye

Marcella Baete (°1939, Gent). Werkmansgezin. Onderwijzeres, veertien jaar voor de klas, getrouwd op 21, zes kinderen, zwaar ongeval, acht jaar slagerin, 45 keer verhuisd. Feministe. Sociaal geëngageerd. Autodidacte. Schrijfster.

Coverillustratie:
Egon Schiele, 'De boosaardige', 1910
Cover: Art & Partners
Paperback 12,5 x 20 cm
168 blz.
550 fr., fl. 37,25
Isbn 90 6445 610 0
Nugi 300
Verschenen in april 1992.